CASAIS INTELIGENTES ENRIQUECEM JUNTOS

GUSTAVO CERBASI

CASAIS INTELIGENTES ENRIQUECEM JUNTOS

SEXTANTE

Copyright © 2004, 2014 por Gustavo Cerbasi

Todos os direitos reservados. Nenhuma parte deste livro pode ser utilizada ou reproduzida sob quaisquer meios existentes sem autorização por escrito dos editores.

coordenação editorial
Anderson Cavalcante

revisão
Hermínia Totti e Rebeca Bolite

diagramação
Ilustrarte Design e Produção Editorial

capa
Rodrigo Rodrigues

imagem de capa
JAlcaraz / Shutterstock

imagens de miolo
Tyler Olson / Shutterstock
Rido / Shutterstock
Goodluz / Shutterstock

impressão e acabamento
Lis Gráfica e Editora Ltda.

CIP-BRASIL. CATALOGAÇÃO NA PUBLICAÇÃO
SINDICATO NACIONAL DOS EDITORES DE LIVROS, RJ

C391c	Cerbasi, Gustavo, 1974-
	Casais inteligentes enriquecem juntos / Gustavo Cerbasi. Rio de Janeiro: Sextante, 2014.
	176 p.; 16 x 23 cm.
	ISBN 978-85-431-0143-9
	1. Finanças pessoais. 2. Casais. 3. Planejamento. I. Título.
14-14901	CDD: 332.024
	CDU: 330.567.2

Todos os direitos reservados, no Brasil, por
GMT Editores Ltda.
Rua Voluntários da Pátria, 45 – 14.º andar – Botafogo
22270-000 – Rio de Janeiro – RJ
Tel.: (21) 2538-4100
E-mail: atendimento@sextante.com.br
www.sextante.com.br

*A minha esposa, Adriana,
com quem compartilho riquezas que
o dinheiro jamais poderá comprar.*

Agradecimentos

Tenho muito a agradecer àqueles com quem convivi até hoje e que me trouxeram até aqui. Mas, neste livro, agradeço especialmente a casais de amigos e parentes, casados ou não, com quem dividi experiências e ideias. Em especial dois queridos casais de amigos e padrinhos de casamento: Angélica e Achilles Facciollo, pelos momentos de lazer repletos de bons ensinamentos, e Silvia e Mauricio Ianez, pela intensa convivência e ajuda na formação de planos e ideias.

Ao mais importante de todos os casais em minha vida, meus pais Elza e Tommaso.

A minha metade essencial, Adriana, motivo de tudo.

A Deus, que selou as uniões e vem iluminando os caminhos dessas pessoas que tanto amo.

E, após mais de 1 milhão de exemplares vendidos em 10 anos, a meus leitores, que muito contribuíram com perguntas, comentários e críticas, incitando-me a lançar diversos outros títulos após a primeira versão de *Casais inteligentes enriquecem juntos*.

Sumário

Prefácio   11
Introdução   15

PARTE 1 – UMA UNIÃO FINANCEIRAMENTE FELIZ

Capítulo 1. Perfis financeiros: quando a cabeça erra,
   o bolso padece   20
   Três histórias, três contas-correntes, resultados diferentes   20
   Qual é o perfil de vocês?   25
   Horóscopo financeiro dos casais   26
Capítulo 2. A dificuldade de planejar: um problema
   de quase todas as famílias   32
   Por que quase todos erram   34
   Os benefícios do planejamento financeiro de longo prazo   36
   Teste: avaliem a capacidade do casal de construir riqueza   37

PARTE 2 – PLANEJAMENTO AO LONGO DA VIDA

Capítulo 3. As finanças do namoro e do noivado   44
   Comprar presentes caros e pagar as contas é sinal
   de amor?   47
   Dicas para presentear seu amor gastando menos   49
   A primeira grande crise do relacionamento   50
   Economizando para montar a casa   52
   Construindo o ninho   53
   Investindo na economia doméstica   57
Capítulo 4. As finanças dos recém-casados   58
   Vida a dois: até que ponto juntar tudo   58
   Regimes de casamento civil   61
   Início do planejamento financeiro   62
   Orçamento: dá para cortar?   63
   Estabelecendo metas   67
   Independência financeira: o futuro garantido   71
   Livrando-se das pedras no caminho   75
   Onde economizar   76
   Manter dois carros ou apenas um?   78
   Quando comprar a casa   81

Capítulo 5. As finanças dos casais com filhos — 84
   A família aumentou: o que muda? — 85
   Poupança mensal: garantia de um futuro tranquilo — 87
   Planos de previdência e seguros — 88
   Dicas de como gastar menos com os filhos — 90
   Ensinando pelo exemplo: o comportamento financeiro dos pais — 92
   A educação financeira dos filhos — 94
   Os filhos devem conhecer o orçamento da família? — 95
   Como lidar com a mesada — 98
   Dinheiro na adolescência — 101
   Crianças e jovens com problemas financeiros — 102

PARTE 3 – UM FUTURO A DOIS MAIS RICO

Capítulo 6. Cuidando dos imprevistos — 106
   Alternativas de financiamento — 107
   Recorrendo a fiadores — 117
Capítulo 7. Investimentos: a busca da melhor opção — 118
   Quanto poupar por mês — 123
   Quem pode ajudar — 128
   Sua estratégia de investimento — 131
Capítulo 8. Valores que devem ser construídos ao longo da vida — 134
   Como resistir à tentação de gastar — 135
   Adeus, rotina — 136
   Sonhos de consumo — 138
   Paguem-se primeiro — 139
Capítulo 9. Administrando o sucesso de um plano — 142
   O que é um aposentado — 145
   Administrando o que fica — 148
   Não querem – ou não precisam – deixar herança — 150
Capítulo 10. A riqueza como objetivo de vida — 153
   Tempo e recursos limitados: desistimos da ideia de enriquecer? — 154
   Acidentes no meio do percurso — 155
   Ganhem e doem — 157
   Sua riqueza é maior do que vocês imaginam — 158

Guia para casais que estão se preparando para o casamento — 161

PREFÁCIO

O que mudou após 10 anos

Comecei a escrever livros de finanças pessoais em 2002, em um cenário que, apesar de não tão distante, era completamente diferente do cenário em que vivemos hoje. O Plano Real já tinha mais de meia década de existência, e os primeiros resultados de sua rígida política começavam a surtir efeitos: bancos já eram considerados confiáveis, o mercado de capitais ganhava volume, havia intensa regulação dos mercados financeiros e a inflação, apesar de ainda alta, estava sob controle e em níveis bastante inferiores aos da década anterior.

Eu era professor de Finanças em cursos de especialização e pós-graduação em uma das melhores escolas de negócios do país, e a maior motivação que tive para escrever foi meu inconformismo ao notar a dificuldade que as pessoas – incluindo estudantes de Administração do mais alto nível – tinham para perceber e aproveitar as oportunidades de enriquecimento que a economia brasileira oferecia. Os juros da economia estavam na casa dos 25% ao ano, enquanto a inflação era de cerca de metade disso. Com um pouquinho de disciplina, era muito fácil multiplicar riqueza e construir a independência financeira com produtos tradicionais como os fundos de renda fixa e os CDBs.

Meu objetivo, ao publicar *Dinheiro: os segredos de quem tem*, meu primeiro livro, era o de convencer as pessoas de que estávamos diante da oportunidade de mudar definitivamente a história da economia brasileira. Foi mais fácil do que imaginei, pois a imprensa recebeu muito bem as ideias pregadas por mim e por pelo menos uma dezena de profissionais que levantavam essa bandeira. Houve também uma rápida reação das instituições financeiras que, percebendo que seu público passava a contar com fontes confiáveis de informação na imprensa, moldaram seus produtos e suas cartilhas a uma demanda mais inteligente. A estabilidade econômica fez com que a orientação financeira gerasse bons resultados rapidamente, e o assunto ganhou de vez seu espaço na mídia, nos debates educacionais, nos setores de RH das empresas e nas discussões sobre sustentabilidade.

Quando comecei a organizar as ideias para escrever *Casais inteligentes enriquecem juntos*, em 2004, o desafio era, a princípio, o de atender a um nicho do público leitor que buscava orientação para lidar com seu dinheiro. O livro nascia como uma resposta a centenas de questões dos leitores do *Dinheiro: os segredos de quem tem* acerca de minhas sugestões de enriquecimento dizendo que elas eram inviáveis. Não duvidavam da viabilidade de minhas teorias, mas sim da aplicabilidade delas em seus relacionamentos. Segundo alguns deles, o comportamento compulsivo de seus companheiros impossibilitava qualquer chance de poupar para o futuro. Outros alegavam a dificuldade de derrubar o tabu da falta de conversa sobre dinheiro.

Foi por não acreditar que exista um culpado pelo fracasso, por não acreditar que gastar é menos importante que poupar, por não acreditar nas ideias de "rotina", "supérfluo" e "não ter como sair das dívidas" que eu arregacei as mangas e decidi compartilhar com mais pessoas ideias que enriqueciam e traziam harmonia para nosso lar. Digo "nosso" porque Adriana, minha esposa, não só permitiu que o papo sobre dinheiro fosse algo natural em nosso relacionamento, como também participou da revisão do texto, contribuindo definitivamente para o formato final do livro.

Como eu nunca havia estudado cientificamente a relação psicológico-financeira dos casais, acreditava que o livro não passava de uma reunião de sugestões bem-intencionadas que haviam surtido efeito em minha vida e na de meus primeiros clientes de consultoria. Não imaginava obter com ele vendas mais significativas do que com o primeiro livro, uma obra com abordagem mais filosófica. Mas, à medida que o tempo passou, as qualidades do livro começaram a correr entre os casais. Ele não cresceu em vendas em razão de maciços investimentos em marketing, mas sim pelo boca a boca das pessoas que viam nele lições importantes que mereciam ser compartilhadas entre amigos, parentes, colegas de trabalho, de igreja e de clube.

Não sei dizer se por coincidência ou por relação de causa e efeito, enquanto *Casais inteligentes* aumentava seus números de venda, a educação financeira crescia fortemente no Brasil em várias frentes. Muito disso deve-se ao fato de que o livro criou espaço em diferentes meios de comunicação para que se falasse abertamente sobre o tema. Hoje, após completar 1 milhão de exemplares vendidos, há muito a comemorar. Eu comemoro o mérito de ter levado minhas ideias a mais de 1% da população brasileira – uma vitória e tanto em um país cujo povo ainda lê pouco. Milhares de casais comemoram a oportunidade de terem aprendido a conversar sobre suas finanças sem apontar culpados, respeitando as diferenças. E a sociedade comemora mais qualidade no consumo e aumento da poupança familiar.

Em 2012, quando atingiu a marca de 1 milhão de exemplares vendidos, *Casais inteligentes enriquecem juntos* serviu de inspiração para o filme *Até que a sorte nos separe* — maior bilheteria do cinema nacional naquele ano —, que levou a educação financeira para a telona no formato de comédia. Depois do sucesso no cinema, que popularizou ideias antes limitadas ao escasso público leitor brasileiro, é inegável que os casais estão falando mais sobre dinheiro. O amplo debate é o primeiro passo do aprendizado.

O Brasil está mais rico, porém ainda tem muito a enriquecer. E eu me sinto imensamente feliz em contribuir, de alguma forma, com a quebra de paradigmas e ajudar tantas famílias brasileiras a encontrar a tranquilidade financeira. Tem sido muito gratificante abrir minha caixa de e-mails, meu Facebook ou minha conta no Twitter (@gcerbasi) diariamente e perceber, por meio de depoimentos, que este livro ajudou a colocar nos trilhos o planejamento financeiro, o relacionamento e a esperança de uma vida muito mais segura e feliz para milhares de casais. Hoje, tenho o orgulho de fazer parte do sucesso de muitas famílias, mas ainda há muito trabalho a fazer, pois a economia brasileira está gerando um número imenso de famílias consumidoras, que nunca lidaram com instrumentos financeiros e que têm sua segurança ameaçada pela falta de conhecimento.

O fato de você ter começado a ler este livro já mostra que acredita na prosperidade de seu relacionamento. Se gostar, convide seu companheiro a ler também, pois, segundo os depoimentos que recebo, o resultado da leitura a dois tem sido surpreendente. Espero que esta obra os impulsione a enriquecer juntos e, além disso, seja uma importante contribuição para a transformação da riqueza deste país.

Gustavo Cerbasi
Inverno de 2014

Introdução

Grande parte dos problemas de relacionamento entre marido e mulher começa no dinheiro – no excesso ou na falta dele. Quando a renda do casal não dá conta dos gastos do mês, o dia a dia tende a uma desagradável monotonia e qualquer proposta mais romântica que envolva gastos é cortada pela raiz. As dificuldades decorrentes dessa escassez geram conflitos entre os cônjuges, que nem sempre percebem que o problema é financeiro.

O grande charme do dinheiro está no fato de ele raramente se mostrar como o vilão da história. Se não há dinheiro para um jantar romântico, o problema é percebido como falta de romantismo; se não há dinheiro para renovar o guarda-roupa, o problema é percebido como desleixo; se não há dinheiro para levar as crianças ao parque, o problema é percebido como falta de carinho. Essas situações encobrem um erro comum: a inabilidade para lidar com o dinheiro ou para torná-lo suficiente.

Por outro lado, quando a renda do casal é maior, raramente marido e mulher chegam a um acordo sobre seus hábitos de consumo e sobre a melhor maneira de administrar as finanças, o que também origina conflitos. Um reclama dos hábitos perdulários do outro, que, por sua vez, acha que muitas conquistas familiares estão sendo adiadas em razão dos desperdícios do parceiro. E os motivos para confrontos e discussões explosivas vão se acumulando.

O problema é que não se conversa a dois sobre dinheiro de forma preventiva, mas só quando a bomba já estourou e a briga se torna inevitável. Em questões de dinheiro, as pessoas procuram ajuda quando custará muito mais caro buscar a solução. E aí pode ser tarde demais para salvar o relacionamento.

Uma pesquisa divulgada na revista *Você S/A* de junho de 2004, feita com 150 pessoas casadas, revela que 38% delas assumem que costumam brigar por causa de dinheiro. A publicação destaca que esse número não leva em conta casais que estão em rota de colisão mas preferem fingir que tudo anda bem. As principais razões apontadas para as brigas são falta de dinheiro e despesas excessivas do cônjuge. Os homens em geral discordam das decisões de compra das mulheres, enquanto elas questionam as opções deles de aplicação do dinheiro.

Afinal, hoje, a mulher não só conquistou uma posição social e profissional equiparada à do homem como passou a discutir e dividir o controle do planejamento e das finanças da família e dos negócios familiares. Essa nova realidade também gerou a necessidade de se chegar a um acordo sobre a administração da renda familiar em parceria.

Aliás, a maior parte das dúvidas e comentários de leitores sobre meu livro anterior (*Dinheiro: os segredos de quem tem*, no qual desenvolvi um modelo de construção de riqueza planejada) veio de mulheres casadas. Minhas ideias foram discutidas nas principais revistas femininas do Brasil. Esse fato comprova o amadurecimento que a emancipação feminina e a revolução sexual do século passado proporcionaram aos relacionamentos a dois.

Administrar bem o relacionamento conjugal requer certa habilidade e paciência. O que muitos apaixonados às vezes demoram a perceber é que gerenciar as finanças do casal também requer essas e outras virtudes. Administrar bem tanto o dinheiro quanto o amor, então, pode ser um verdadeiro desafio. Por isso proponho neste livro meios para cuidar bem das finanças do casal, tratando dos aspectos mais racionais da vida a dois.

Meu trabalho de pesquisa em finanças pessoais tem como foco a ideia de que uma vida planejada e com objetivos é mais feliz. Tenho constatado isso nos depoimentos de leitores que conseguiram gerenciar bem suas finanças ao longo dos anos e hoje desfrutam uma vida sem privações. Também tenho ouvido, consternado, pessoas com certa idade confessarem que, se tivessem aprendido no passado algumas lições simples sobre a administração de seu patrimônio, hoje teriam uma vida mais folgada.

Este livro se divide em três partes. Na primeira, abordo a questão comportamental em relação às finanças e ajudo os leitores a identificar seu perfil financeiro e o tipo de casal que formam quando o assunto é dinheiro. A Parte 2 examina os aspectos financeiros do relacionamento ao longo da vida, visando a atingir as metas e os sonhos do casal. Tratei do assunto na seguinte sequência: namoro, casamento, constituição da família e educação dos filhos. Apesar de trazerem uma sugestão de ordem natural do ciclo da vida, tanto em termos sentimentais como financeiros os temas acabam se misturando. O namoro não termina necessariamente com a vida a dois; por isso, muitas das considerações econômicas que faço sobre o namoro são válidas para toda a vida. O mesmo vale para outros aspectos. Alguns se veem obrigados a constituir família antes mesmo do namoro, como consequência, por exemplo, de uma gravidez não planejada. Outros se aposentam antes de ter filhos – aqui se leva em conta a possibilidade de aposentadoria financeira, ao receber uma grande quantia de dinheiro ainda jovem. Optei por abordar a aposentadoria na Parte 3, na qual trato de decisões inteligentes que anteciparão a conquista de sonhos e das ferramentas para proteger o que se conquistou. Faço questão de tratar da aposentadoria com um sentido de independência e desfrute, não de retiro. A leitura mostrará os meios para entender e atingir esse novo sentido, oferecendo lições de finanças para sua reflexão e aplicação ao longo de toda a vida.

PARTE 1

Uma união financeiramente feliz

CAPÍTULO 1

Perfis financeiros: quando a cabeça erra, o bolso padece

Três histórias, três contas-correntes, resultados diferentes

Não há dúvida de que a falta de diálogo sobre dinheiro entre o casal é ruim para as finanças da família, podendo até contribuir para o fim da relação. Mas conversar não resolve o problema se o tema **dinheiro** não estiver ligado ao assunto **objetivos**. "Cada cabeça, uma sentença", diz o ditado. Talvez um dos dois sonhe com uma viagem ao exterior todo ano e o outro, com a compra de uma casa de campo para passar as férias. Se ambos não conhecerem os objetivos um do outro, haverá sempre um sentimento de frustração atrelado a cada conquista.

A falta de planos faz com que os sonhos de um se tornem empecilhos para a conquista das aspirações do outro. Daí a necessidade de o casal se unir e discutir os meios para conquistar tanto objetivos comuns quanto pessoais, respeitando as metas de prazo mais longo. Não esperem comprar uma casa de campo para começar a poupar para a aposentadoria. Poupem simultaneamente para atingir os dois objetivos, mesmo que o primeiro seja um pouco adiado.

Vejam os três casos a seguir, de casais na faixa dos 30 anos, sem filhos, em que ambos trabalham. Percebam como a maneira de marido e mulher lidarem com o dinheiro pode definir a qualidade do relacionamento e o sucesso na conquista de objetivos comuns.

A todo o vapor
Quando Vitória e Renato se casaram, há seis anos, ambos trabalhavam e tinham uma poupança pessoal. Namoraram oito anos e esperaram a vida profissional de ambos se estabilizar para finalmente juntar as trouxas. Quando decidiram se unir, foi para valer: da conta-corrente aos investimentos, do cartão de crédito às planilhas de gastos, as finanças de ambos viraram uma coisa só. Como ambos já eram organizados, pouca coisa mudou após o casamento. Todo mês, eles se sentam juntos para verificar os gastos e o saldo das aplicações. Controlam também se as metas estão sendo cumpridas ou se o planejamento exige algum ajuste. Tamanha disciplina já viabilizou duas viagens a passeio ao exterior e uma especialização na França para Vitória. Vivem em um amplo apartamento de frente para o mar de Fortaleza, já quitado, possuem um carro de luxo e um popular, contribuem mensalmente para um plano de previdência que lhes viabilizará a aposentadoria quando completarem 60 anos e estão formando uma poupança específica para cursos de especialização que ambos pretendem fazer na França daqui a dois anos.

Extrato bancário do casal
Renda mensal	R$ 5.467,48
Investimentos	R$ 47.995,12
Aplicações mensais	R$ 750,00
Dívidas	R$ 0,00

Comentário: com gastos mensais de pouco mais de R$ 4.700,00, esse casal desfruta a tranquilidade de ter investimentos suficientes para cobrir mais de dez meses de um eventual desemprego. Os R$ 750,00 poupados por mês (13,7% dos ganhos) fazem com que essa segurança aumente a cada mês. Como o plano de previdência – não incluído nas aplicações mensais – já garante ao casal a aposentadoria desejada, os recursos poupados formam uma bela reserva para melhorar o padrão de vida ou incluir um bebê em seus planos.

Um puxa o outro
Ana Cláudia e Pedro moram no mesmo edifício de Vitória e Renato. O casamento dos dois foi viabilizado com ajuda dos pais de Ana Cláudia, que emprestaram o dinheiro para a compra do apartamento, a juros reduzidos. Hoje, quatro anos depois, a dívida está a três meses de ser quitada, e eles possuem uma caderneta de poupança com recursos que guardaram no passado. Ana Cláudia não gosta de mexer com números e confia a Pedro todo o controle financeiro do lar. No entanto, é ela quem faz a maioria das compras da casa, já que Pedro não suporta ir a supermercados. Mesmo assim, Pedro explica a Ana Cláudia o porquê de cada decisão de investimento e aproveita sua capacidade de organização para montar listas de compras com histórico de preços anteriores a fim de ajudar nas escolhas da esposa. Para facilitar a vida do marido, Ana Cláudia aceitou desenvolver o hábito de guardar recibos ou anotar os gastos diários em sua agendinha. A meta de ambos é passar a contribuir mensalmente com um plano de previdência privada, assim que quitarem a dívida com os pais de Ana. O mesmo valor que pagam a cada mês passará a ser destinado ao plano, afinal eles se habituaram a um padrão estável de gastos.

Extrato bancário do casal
Renda mensal   R$ 4.340,00

Investimentos	R$ 7.330,07
Aplicações mensais	R$ 0,00
Dívidas	R$ 3.000,00

Comentário: apesar de não terem reservas suficientes para grandes emergências, ambos trilham um caminho bastante tranquilizador, graças à organização e à meta de iniciar a curto prazo um plano de aposentadoria. Um meio de antecipar esse sossego seria utilizar parte dos investimentos para quitar já as dívidas, evitando o desnecessário pagamento de juros – que hoje provavelmente consomem todo o rendimento dos investimentos, ou mais.

Um tropeça no outro
Patrícia e Sérgio tiveram a felicidade de casar-se sem nenhuma dívida. Ambos bem empregados, adquiriram uma bela casa em um condomínio fechado próximo a São Paulo, paga à vista. Sérgio nunca foi muito consumista, mas não abre mão de trocar de carro todo ano. Patrícia, por sua vez, faz questão de investir em um visual bem produzido, fator importante em sua carreira de vendedora. Há três anos, Sérgio seguiu conselhos de bons amigos e investiu em uma grande promessa do mercado de ações. Mas o resultado do investimento demorou a vir, e as ações se desvalorizaram. Como Sérgio sabia que aquele não era um bom momento para vendê-las, pediu ajuda a Patrícia para que reduzisse os gastos por um tempo. Ela, inconformada com a má escolha do marido, sentiu-se prejudicada – não era justo ter de arcar com um erro dele! Como começaram a brigar por causa disso, eles resolveram que não falariam mais sobre o assunto e que cada um cuidaria de suas contas como achasse melhor. Tempos depois, por um descuido, entraram no cheque especial. Patrícia gastara um pouco além da conta em uma viagem de negócios. Sérgio ainda estava com suas ações e teve de vender parte de-

las para pagar a dívida. Foi o estopim para uma série de desentendimentos, que viraram briga quando Sérgio trocou de carro, gerando nova dívida. Deixaram de viajar e de sair com amigos comuns. Há um ano, quase se divorciaram. Hoje tentam reerguer o relacionamento com a ajuda de uma terapeuta de casais e de um consultor financeiro.

Extrato bancário do casal

Renda mensal	R$ 7.910,50
Investimentos	R$ 8.100,00
Aplicações mensais	R$ 0,00
Dívidas	R$ 32.600,04

Comentário: como o casal não resistiu à tentação de antecipar a ascensão de seu padrão de vida, hoje acumula uma dívida equivalente a mais de quatro meses de renda, fruto de decisões ruins do passado. Nessas condições, jamais estarão tranquilos. É fundamental que eles reduzam o padrão de vida sensivelmente, para antecipar a quitação das dívidas. Eles correm o risco de não ter reservas para nenhum tipo de contingência. Sérgio deveria discutir com analistas de seu banco o potencial de suas ações e, não havendo grandes expectativas de rentabilidade futura, talvez reconhecer as perdas. Na situação deles, o pior investimento é em ativos de risco, como ações.

Esses exemplos, adaptados de casos reais, são a consequência da união de perfis diferentes – ou semelhantes, como no primeiro caso – em relação às finanças. Conhecer o próprio perfil e o do parceiro e saber de suas limitações é a primeira coisa a fazer antes de se propor a discutir sobre dinheiro. As conversas nunca serão livres de divergências ou dúvidas. Conhecer a si mesmos permitirá que um ajude o outro a superar suas fraquezas, para que o relacionamento com o dinheiro seja de multiplicações e realizações de sonhos.

Qual é o perfil de vocês?

Há basicamente cinco estilos de como lidar com o dinheiro. Vejam em qual vocês se enquadram.

> **POUPADORES:** sabem que é importante guardar e, por isso, não se importam nem um pouco em restringir ao máximo os gastos atuais, para poupar o que for possível e conquistar a independência com muito dinheiro. Nem sempre suas intenções são compreendidas; frequentemente recebem críticas por serem mesquinhos ou avarentos, verdadeiros "Tios Patinhas". **Pontos fortes:** disciplina e capacidade de economizar. **Pontos fracos:** conformismo com um padrão de vida simples, restrições a novas experiências.
>
> **GASTADORES:** para estes, a vida é medida pela largura, não pelo comprimento. É importante viver bem hoje, pois o amanhã pode não existir. Gastam toda a renda, às vezes um pouco mais. Gostam de ostentar, destacam-se pelas roupas caras, não se sentem incomodados em encarar um financiamento se o objetivo é ser feliz. A poupança acumulada, quando existe, é só para a próxima viagem. Seu estilo de vida faz sucesso entre os amigos. **Pontos fortes:** hábitos pouco rotineiros, abertura a novas tendências, muitos hobbies. **Pontos fracos:** insegurança em relação ao futuro, dependência extrema da estabilidade no emprego, aversão a controles, orçamentos e contas.
>
> **DESCONTROLADOS:** não sabem quanto dinheiro entra nem percebem quando sai da conta. A cada mês, parece que o dinheiro dura menos. Estão sempre cortando gastos, mas nunca é o suficiente. Usam com frequência o cheque especial ou pagam a conta do cartão de crédito apenas parcialmente, por falta de fundos. Em casa, não há a menor chance de se sentarem e se organizarem, pois têm coisas mais importantes para fazer. **Pontos fortes:** é possível identificar algum? **Pontos fracos:** indisciplina, propensão a conflitos, pagamento desnecessário de juros, desorientação.

DESLIGADOS: gastam menos do que ganham, mas não sabem exatamente quanto. Poupam o que sobra, quando sobra. Viajam ou trocam de carro quando atingem um valor mais alto nos investimentos. Se não têm dinheiro na conta, parcelam a compra. Quando os extratos do banco chegam, vão para a gaveta sem ao menos ser abertos. A fatura do cartão de crédito é uma surpresa todo mês. Sempre acham que ainda é cedo para pensar em aposentadoria. **Pontos fortes:** folgas financeiras, espaço para reduzir gastos, se necessário. **Pontos fracos:** incapacidade de estipular e atingir objetivos, resistência a planos que exijam disciplina.

FINANCISTAS: são rigorosos com o controle de gastos, com o propósito de economizar. Nem sempre o objetivo é poupar; às vezes pretendem acumular para poder comprar mais pagando menos. Elaboram planilhas, andam com calculadora e lista de compras nos supermercados e shoppings, fazem estatísticas e projeções com quantidades e frequência impressionantes. Entendem de investimentos, juros e inflação e são procurados por amigos e parentes para orientações. **Pontos fortes:** facilidade de desenvolver planos e colocá-los em prática, seleção crítica de investimentos, capacidade de empregar melhor o dinheiro. **Pontos fracos:** em geral são boicotados pela família, que não se conforma com tantas minúcias; se não souberem se fazer entender, tornam-se uns chatos.

Horóscopo financeiro dos casais

Vejam o que esperar de seu futuro financeiro, de acordo com a combinação desses perfis:

POUPADOR ♥ GASTADOR: os números estarão sempre contra seu relacionamento. Se nada for feito, a união de vocês será repleta de crises e brigas. A sugestão é que ambos se inscrevam juntos em um curso de planejamento financeiro pessoal, para que o poupador da dupla encontre os verdadeiros motivos de guardar dinheiro e para que o gastador aprenda a refrear seus impulsos. Perfil de casais desse tipo: um tropeça no outro.

POUPADOR ♥ DESCONTROLADO: o esforço do poupador permitirá um futuro seguro que o descontrolado jamais conquistaria, porém ele vai remar sozinho para realizar os sonhos comuns. Tudo indica que o poupador não terá sucesso em acumular mais do que o necessário, pois sempre terá o descontrolado a seu lado para frustrar grande parte de seus objetivos. Esse relacionamento tende a um equilíbrio, mesmo que ambos não saibam exatamente para onde estão indo ou por que acumulam recursos. Perfil de casais desse tipo: um puxa o outro.

POUPADOR ♥ DESLIGADO: discussões relacionadas a dinheiro, jamais! Os desligados tendem a concordar com a necessidade de poupança para o futuro e são excelentes colaboradores desse objetivo. É importante que o poupador busque aprender mais sobre planejamento pessoal, pois esse modelo de casal chega à velhice com duas coisas acumuladas: dinheiro e frustração. Marido e mulher nunca saberão ao certo quando é a hora de gastar um pouco. Perfil de casais desse tipo: um puxa o outro, porém com o risco de envelhecerem com a sensação de que um tropeçou no outro.

POUPADOR ♥ FINANCISTA: se o financista souber controlar os impulsos conservadores do poupador, será a união do sucesso financeiro. O financista tem os argumentos de que o poupador precisa para se "desligar" um pouco. Já o poupador terá a missão de tirar seu parceiro dos detalhes e pôr o foco no principal, o longo prazo. Perfil de casais desse tipo: tendência de começar com "um puxa o outro" e evoluir para "a todo o vapor".

GASTADOR ♥ DESCONTROLADO: esse é o tipo de relacionamento que não vai durar muito. O gastador tende a usufruir sem formar reservas, mas o descontrolado faz mais que isso, gastando além da conta. Com o tempo, o gastador perceberá que não consegue mais atingir seus desejos materiais de consumo porque o parceiro não colabora. E essa dificuldade de colaboração muitas vezes é entendida como abuso ou individualismo. Não há amor que sustente tal situação. Perfil de casais desse tipo: a todo o vapor para a separação.

GASTADOR ♥ DESLIGADO: a tranquilidade reinará ao longo do relacionamento. Como o gastador se apega ao consumo e o desligado não, ambos se orgulharão do espaço concedido ao outro. Se essa harmonia for bem administrada e o gastador aprender a disciplinar seu consumo, ainda sobrarão recursos para construir, ao longo dos anos, uma aposentadoria com razoável padrão de vida. Provavelmente, eles precisarão de um consultor financeiro ou de um plano de previdência privada para conquistar seus sonhos. Perfil de casais desse tipo: um puxa o outro.

GASTADOR ♥ FINANCISTA: como na união do poupador com o financista, é o casamento da emoção com a razão. Tudo depende da capacidade do financista de provar que eles podem juntos garantir muito mais conquistas se agirem de forma planejada. O equilíbrio deve ser buscado permanente e conscientemente; quando obtido, será a base de um casal que saberá curtir a vida com segurança. Perfil de casais desse tipo: um puxa o outro.

DESCONTROLADO ♥ DESLIGADO: o relacionamento será uma navegação rumo ao infinito, sem nunca saber onde aportar. Tempestades e problemas chegarão de surpresa, como o iceberg que afundou o *Titanic*. O descontrolado estará sempre levando o extrato bancário para o vermelho, mas terá o desligado a seu lado para culpar todo mundo, menos eles próprios: bancos, inflação, juros, governo, financeiras, etc. Nunca conseguirão acumular riqueza, pois acreditam que isso não depende deles. Perfil de casais desse tipo: a todo o vapor, mas no caminho contrário ao dos sonhos.

DESCONTROLADO ♥ FINANCISTA: tempestades à vista! Um financista até conseguirá convencer seu parceiro descontrolado da importância da organização, mas, por mais que tente, jamais conseguirá persuadi-lo de praticá-la. O sucesso do relacionamento dependerá de o financista assumir as rédeas das finanças e ser criativo na hora de limitar gastos. Perfil de casais desse tipo: um tropeça no outro.

DESLIGADO ♥ FINANCISTA: se não houver muita conversa em relações desse tipo, o financista tende a assumir o controle das finanças sem a colaboração do desligado, que achará o excesso de controle um verdadeiro exagero. Porém, se ambos souberem lidar com o comportamento do parceiro, o relacionamento resultará em um verdadeiro sucesso financeiro, pois o desligado não criará empecilhos à construção de planos e saberá desfrutar cada conquista a seu tempo. Perfil de casais desse tipo: um puxa o outro.

Todo relacionamento entre pessoas de mesmo perfil é do tipo "a todo o vapor". Dificilmente surgirão conflitos ligados ao dinheiro, pois os dois pensam da mesma forma. É preciso, porém, evitar os riscos típicos de cada perfil.

POUPADOR ♥ POUPADOR: terão sucesso se se esforçarem para encontrar um sentido para o dinheiro e desenvolverem metas de poupança. Se não mudarem, o perfil do casal se encaminhará a todo o vapor para um futuro cheio de dinheiro mas pobre de sentimentos.

GASTADOR ♥ GASTADOR: o cuidado a tomar é evitar consumir 100% da renda. Gastadores sabem viver muito bem, mas exageram na dose. Se conseguirem conciliar os hábitos de bon-vivants com investimentos no futuro, deixarão de ter um perfil de casal que se dirige a todo o vapor para problemas financeiros na velhice.

DESCONTROLADO ♥ DESCONTROLADO: diferentemente do casal de gastadores, os descontrolados não esperarão a velhice para se atolar em problemas. É o tipo de relacionamento que, se sobreviver, será à custa de muito sofrimento e privação. Não se trata de caso perdido, desde que com acompanhamento de uma boa terapia de casal. Na maioria dos casos, os parceiros estarão a todo o vapor ao encontro de eternos problemas, não só financeiros.

DESLIGADO ♥ DESLIGADO: esse casal pode ou não atingir suas metas. A questão é que não sabe como fazê-lo – e talvez nem identifique os objetivos. Como suas preocupações não estão centradas no dinheiro nem no consumo, será muito fácil construir riqueza com a orientação de um especialista ou a aquisição de planos de previdência. Com tal conduta, eles estariam a todo o vapor na direção de uma vida sem problemas financeiros.

FINANCISTA ♥ FINANCISTA: o que falta para a maioria esse casal tem demais. Organização financeira é bom, mas não pode ser o assunto de todas as conversas, da pizza com os amigos ao momento a dois na cama. O planejamento financeiro bem-feito requer a criação de limites aproximados de gastos. Se os parceiros saírem do limite, pequenos ajustes em seguida resolvem a questão. Aproveitar resultados e não se bitolar é fundamental; caso contrário, estarão a todo o vapor rumo a uma vida de números, não de sentimentos.

No estereótipo de uma família financeiramente bem-sucedida, o tamanho da casa e do carro aumenta ao longo dos anos, os filhos têm os brinquedos e eletrônicos da moda e ganham carro ao entrar na faculdade, a casa de campo ou de praia dos pais vira destino de fim de semana dos amigos dos filhos e o casamento dos jovens é totalmente pago pelos pais. Eis um verdadeiro conto de fadas da classe média.

CAPÍTULO 2

A dificuldade de planejar: um problema de quase todas as famílias

Os problemas financeiros familiares decorrem de decisões ou escolhas ruins. Se vocês enfrentam dificuldades dessa natureza, a culpa não é dos juros elevados dos bancos, mas de um padrão de vida elevado demais para a renda da família. As dívidas de hoje são em razão de uma compra feita no passado em um momento em que não havia dinheiro para isso. Os erros financeiros são verdadeiras armadilhas. Caímos facilmente nelas por pura ingenuidade; depois, vivemos um verdadeiro pesadelo que pode durar meses ou anos.

Na maioria das vezes, orçamento, planejamento financeiro, dinheiro ou controle de gastos não fazem parte das conversas dos casais. Esse problema acontece com mais frequência nas famílias em que um dos dois ganha muito mais do que o outro ou é o único a trazer renda para casa. Nesses casos, é comum que quem receba mais controle o dinheiro e decida sobre o futuro. É o passo inicial para um relacionamento repleto de desconfianças, displicência na limitação de gastos e perda de controle financeiro. Estabelecer objetivos de longo prazo passa a ser um problema, porque quem não participa das finanças não percebe as metas serem atingidas gradativamente. Irá notar apenas o sacrifício no momento do desembolso, como ocorreu com Sandra:

> Dênis e Sandra conviviam havia meses com recursos restritos. A cada compra no supermercado, Dênis pedia à esposa que controlasse os gastos, pois o orçamento estava apertado. Dizia que a inflação estava engolindo o salário. Tamanhas foram as restrições que Sandra ficou meses sem conseguir comprar uma peça de roupa. A situação não estava confortável, mas Dênis prometia que viriam melhoras pela frente. No fim do ano, a surpresa: ele deu de presente à mulher um carro novinho, assumindo um financiamento por doze meses após o pagamento de uma boa entrada. No entanto, o desgosto de Sandra naquele ano havia sido tão grande – até renunciara à celebração do Natal com a família – que ela recebeu o presente com raiva. Sandra não se conformava com as prioridades estabelecidas pelo marido. Obviamente, algum tempo depois ela se conformou com o presente, mas nunca mais viria a colaborar com Dênis na limitação de despesas da família. Hoje, passados alguns anos, vivem sérias dificuldades financeiras.

Se começar mal, vai terminar mal. Em geral, as famílias evoluem convivendo com falta de planejamento, pequenas brigas diárias em torno de dinheiro e rápidos ajustes do orçamento a eventuais crescimentos na renda. Quando aumenta o salário, logo se encontra uma forma de utilizar a renda extra, seja adquirindo bens em prestações, seja trocando de automóvel ou comprando um terreno, um sítio ou uma casa de praia por meio de financiamento.

No estereótipo de uma família financeiramente bem-sucedida, o tamanho da casa e do carro aumenta ao longo dos anos, os filhos têm os brinquedos e eletrônicos da moda e ganham carro ao entrar na faculdade, a casa de campo ou de praia dos pais vira destino de fim de semana dos amigos dos filhos e o casamento dos jovens é totalmente pago pelos pais. Eis um verdadeiro conto de fadas da classe média.

Ainda hoje, porém, grande parte das famílias que conquistam esses sonhos se esquece de pensar no futuro e tem um destino semelhante: venda de bens para pagar tratamentos de saúde, aposentadoria com falta de dinheiro (leia-se dependência dos filhos para o sustento da velhice) e queda significativa no padrão de vida. Quando os pais deixam alguma herança, ela dura poucos anos – quando não meses – nas mãos dos filhos. Com o tempo, sonhos construídos juntos e que talvez tenham fortalecido um belo relacionamento vão se desfazendo um a um diante da dura realidade da falta de dinheiro. O sonho da aquisição se transforma no pesadelo da perda. Trata-se de retrato triste, real e comum a muitos casais.

Esse cenário poderia ser um pouco diferente com a adoção do planejamento financeiro. Para formar uma poupança, as famílias adiariam por alguns meses a aquisição de certos bens. A escola e a faculdade dos filhos seriam pagas por uma poupança aberta exclusivamente com essa finalidade, em vez de consumir grande parte da renda dos pais. Moradia e veículos teriam um padrão ligeiramente inferior ao que a renda permite, mas estariam garantidos para o resto da vida, junto com uma poupança gorda no banco.

Por que quase todos erram

Será tão difícil aprender a fazer um planejamento financeiro? Na verdade, não. O planejamento financeiro familiar – que também chamo de plano de independência financeira – não requer cálculos complexos nem grande habilidade com números ou calculadoras. Boa parte das ferramentas necessárias ao planejamento pode ser obtida sem custo e está pronta para ser usada em casa.[1] Certamente, aqueles sem aptidão nem afinidade com números sentirão maior dificuldade, mas garanto que será apenas no começo. Traçar um plano com objetivos claros, segui-lo e ver as metas sendo atingidas é muito prazeroso. Muitos obstáculos de curto prazo são relevados quando se perseguem objetivos maiores de longo prazo.

Mas, se manter um plano de independência financeira não é algo tão complexo, por que grande parte das pessoas falha ao tentar pôr em prática essa regra?

Em primeiro lugar, há que se considerar a tendência de cada indivíduo de colocar sua vida pessoal em segundo plano, em razão de exigências profissionais. Acontece com a alimentação, com o sono, com a prática de exercícios e com o amor, portanto não haveria de ser diferente com o planejamento orçamentário. Todos sabem que essas são necessidades fundamentais para a felicidade e a qualidade de vida, porém a maioria das pessoas não consegue romper bloqueios que as levam a um envelhecimento precoce. Trata-se de uma simples questão de objetivos, prioridades e boa vontade.

Em segundo lugar, deve-se levar em consideração que a burocrática rotina de controlar gastos e traçar estratégias não é tão prazerosa quanto comer, dormir, exercitar-se e fazer sexo. Nunca convencerei vocês, leitores, de que o planejamento financeiro pode vir a ser mais excitante ou agradável que as atividades aqui citadas. Mas o hábito de estabelecer objetivos, traçar planos para atingi-los e colocá-los em prática pode ser, sim, muito gratificante, sobretudo quando os projetos são traçados a dois e têm como meta grandes conquistas. Um exemplo: a possibilidade de obter em alguns anos uma renda estável e não precisar mais depender do salário para manter a família.

---

[1] Ao longo do texto, há tabelas de cálculos e exemplos bastante úteis.

Finalmente, a terceira razão que dificulta a construção de um plano de independência financeira é a sedução do dinheiro. É possível aprender meios de se relacionar melhor com o dinheiro; o difícil é resistir às tentações que ele nos oferece. Se seus objetivos de vida não forem claramente estabelecidos, será muito difícil abrir mão da possibilidade de adquirir um item de consumo – roupas de grife, carro do ano, novas tecnologias, eletrodomésticos, entre outros – se vocês tiverem dinheiro disponível pelo menos para o pagamento da entrada. Mesmo para aqueles que se convencem da importância da formação de reservas financeiras, chega um momento em que o tamanho da poupança pode criar uma sensação de desconforto: como se sente uma família que ganha R$ 1.000,00 por mês e consegue formar uma poupança de R$ 30.000,00? Certamente se sente melhor que aquelas que não conseguiram juntar poupança alguma. Mas, se os objetivos de poupança não estiverem estabelecidos com clareza, uma quantia tão superior à renda será uma verdadeira tentação e dificilmente se manterá ao longo dos anos. A tendência, infelizmente, é gastar esse dinheiro.

Os benefícios do planejamento financeiro de longo prazo

O planejamento financeiro tem um objetivo muito maior do que simplesmente não ficar no vermelho. Mais importante do que conquistar um padrão de vida é mantê-lo, e é para isso que devemos planejar. Os maiores benefícios dessa atitude serão notados alguns anos depois, quando a família estiver usufruindo a tranquilidade de poder garantir a faculdade dos filhos ou a moradia no padrão desejado, por exemplo.

É importante ter em mente que não há propósito em guardar dinheiro tão somente pelo ato de guardar em si. Dinheiro guardado não trará maior sensação de segurança se vocês não souberem definir o que é e quanto custa a segurança. Dinheiro não lhes dará prazer se vocês não aprenderem a tirar prazer de cada momento da vida. Dinheiro não trará felicidade se vocês não souberem o que é felicidade. O grande bem que o dinheiro pode lhes dar é permitir manter aquilo que vocês conquistaram. Perder o que conquistamos durante a vida significa deixar essa vida aos poucos, da pior maneira.

Muitos não acumulam reservas financeiras porque creem que a única maneira de deixar algo para os filhos é construindo um patrimônio físico, com imóveis e bens de valor. Mas poucas são as pessoas que, ao receber uma herança em bens, conseguem construir riqueza a partir deles, multiplicando-lhes o valor. Em geral, o destino do bem herdado é sua venda abaixo do valor de mercado. Grande parte das oportunidades do mercado imobiliário aparece quando herdeiros com problemas financeiros procuram corretores para avaliar seus imóveis.

Por isso, tenham em mente que o futuro de vocês e de seus filhos é consequência não só das decisões de hoje, mas também do que gastam no dia a dia. Na Parte 2, proponho formas de lidar com o dinheiro respeitando os objetivos e as necessidades de cada um. Antes, sugiro que façam uma autoavaliação, que ajudará bastante a entender as limitações a trabalhar e as qualidades a explorar no caminho para a prosperidade.

Teste: avaliem a capacidade do casal de construir riqueza

Muitas famílias não enriquecem simplesmente porque as ideias do casal sobre dinheiro não convergem ou convergem para o ponto errado. Vejam se vocês estão no caminho certo para construir riqueza juntos. Assinalem ou anotem em uma folha de papel a resposta que melhor se aplica aos hábitos do casal em relação ao planejamento financeiro.

1. **Em relação à renda de cada um:**
   a) Um não sabe quanto o outro ganha.
   b) Um tem uma ideia de quanto o outro ganha, mas não há necessidade de discutir esse assunto.
   c) Os dois sabem exatamente quanto cada um ganha (mesmo que só um tenha renda).

2. **Como vocês administram a renda do casal?**
   a) Cada um paga suas contas, os gastos conjuntos são divididos igualmente entre os dois e os investimentos são separados.
   b) Os dois mantêm contas-correntes e investimentos separados, mas o pagamento das contas do casal é decidido por acordo entre os dois.
   c) A renda dos dois é somada, as contas são pagas do total e os dois investem juntos.

3. **Como são tomadas as decisões de compras e gastos da casa de vocês?**
   a) Cada um fica responsável por determinada compra ou gasto e usa o bom senso quanto aos valores.
   b) Mesmo quando as compras são feitas separadamente, sempre há alguma conversa sobre quanto gastar e a disponibilidade de saldos e limites.
   c) Há previsões de valores para cada tipo de gasto do mês, ambos as compartilham e discutem ajustes quando não é possível mantê-las.

4. **Em relação ao orçamento doméstico:**
   a) Vocês não realizam nenhum controle mensal de gastos.
   b) Um de vocês faz um controle periódico, mas raramente conversam a respeito.

c) Ambos discutem o orçamento doméstico ao menos a cada dois meses.

5. Em relação ao futuro:

   a) Vocês mal conseguem controlar o presente, por isso não têm condições de se preocupar com o futuro.

   b) Vocês poupam ou contribuem para um plano de previdência mensalmente, menos do que gostariam ou só para garantir alguma coisa na velhice.

   c) Vocês investem com regularidade ou contribuem para um plano que seguramente garantirá o sustento na velhice.

6. Se hoje tiverem um gasto inesperado igual a duas vezes a renda mensal de vocês, como farão?

   a) Recorrerão a empréstimos.

   b) Resgatarão recursos, consumindo mais de 20% das reservas.

   c) Vocês têm uma reserva específica para contingências e novos gastos ou resgatarão menos de 20% de suas reservas.

7. Como vocês planejam as férias?

   a) Trabalham nas férias para pagar as contas.

   b) Tiram férias de acordo com o dinheiro que sobra na conta ou utilizam recursos investidos sem finalidade específica.

   c) Planejam as férias com antecedência, aplicando recursos durante alguns meses especificamente para esse fim.

8. Em relação aos gastos de ambos, vocês:

   a) Não se preocupam com controles, anotações em canhoto de cheques e arquivamento de comprovantes.

   b) Apenas um dos dois cuida dos controles, já que o outro não se interessa ou não consegue fazê-lo.

c) Controlam todos os gastos e costumam conversar abertamente sobre eles.

9. **Quanto aos investimentos do casal:**
   a) Cada um investe seu dinheiro ou apenas um dos dois investe e o outro não entende do assunto ou não está a par.
   b) Os investimentos são somados em uma única conta, ambos conhecem o total investido, mas apenas um dos dois escolhe onde investir.
   c) Ambos discutem abertamente as alternativas de investimento e conhecem saldos e objetivos de diferentes aplicações.

10. **Como vocês mantêm os controles financeiros?**
    a) Tudo o que já foi gasto não importa mais; os comprovantes são jogados fora.
    b) Comprovantes, notas fiscais, canhotos e contas são guardados todos juntos, sem muita organização.
    c) Os pagamentos feitos são arquivados por tipo de gasto, apenas pelo período exigido por lei. Comprovantes desnecessários e canhotos de cheque são jogados fora quanto antes.

PONTUAÇÃO

Atribua, para cada resposta:
- **a,** 1 ponto;
- **b,** 2 pontos;
- **c,** 3 pontos.

RESULTADOS DO TESTE

10 a 15 pontos: vocês ainda estão tropeçando um no outro. O dinheiro continua sendo um tabu entre vocês, pois provavelmente cada um tem uma visão diferente acerca de objetivos e limites de gastos. Mais cedo ou mais tarde, conflitos sobre dinheiro vão atrapalhar o relacionamento, se já não o fazem. É hora de se sentarem, conversarem um pouco sobre o que já fazem com o dinheiro e sobre quais são suas dúvidas. Discutam o que precisa ser feito para tornar o orçamento mais eficiente e pensem em traduzir nas finanças o que vocês esperam do relacionamento: uma forte união.

16 a 25 pontos: muito do que precisaria ser feito para o sucesso financeiro de vocês já foi posto em prática. Provavelmente, um puxa o outro em relação aos objetivos e às necessidades financeiras para atingi-los. Com certeza, vocês podem melhorar a eficiência do uso do dinheiro estudando um pouco mais as alternativas de que dispõem, seja para investimentos, seja em situação de aquisição de bens.

26 a 30 pontos: vocês estão a todo o vapor no caminho do enriquecimento. Parabéns! Essa sintonia quanto ao dinheiro provavelmente se traduz no dia a dia do relacionamento, e vocês devem ter muito menos problemas do que casais de amigos seus. Dividam seus conhecimentos e seus hábitos com casais amigos!

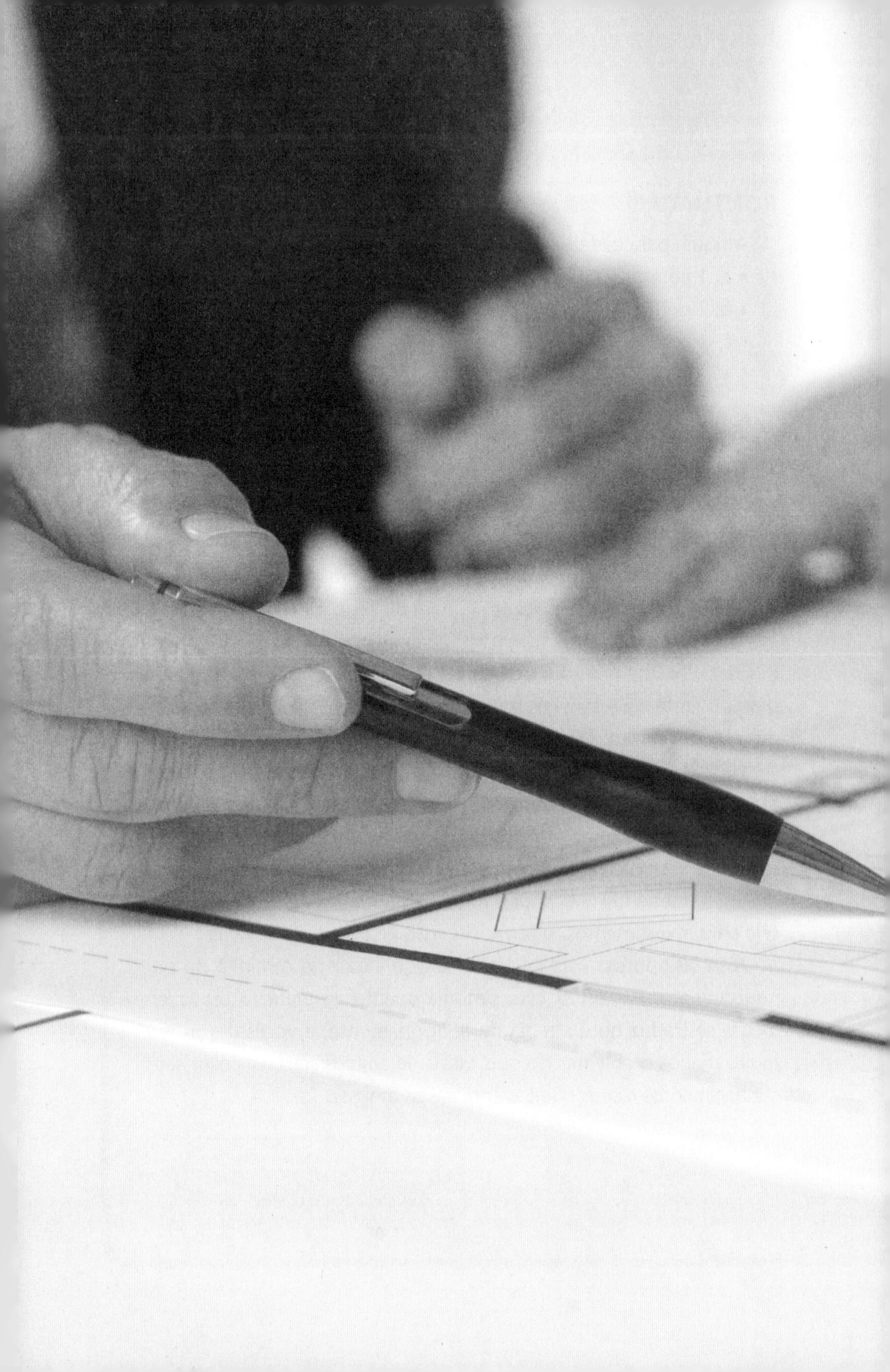

PARTE 2

Planejamento
ao longo da vida

CAPÍTULO 3

As finanças do namoro e do noivado

Para boa parte das pessoas, a fase de namoro coincide com um momento de grandes escolhas que certamente definirão o resto da vida. As mais importantes delas são *o que estudar e em que trabalhar*. São opções difíceis, muitas vezes simultâneas e tomadas em um período em que ainda não estamos maduros para tais decisões. Por isso, não raro essas escolhas são feitas de maneira errada, originando profissionais frustrados. Se, nessa fase tão complicada, ainda tivéssemos de escolher a pessoa com quem dividir para sempre os bons e os maus momentos da vida, o risco de construir também relacionamentos infelizes seria bem maior.

Por isso existe o namoro: para conhecer a pessoa amada. E por isso existem estágios e programas de trainees: para conhecer a profissão. Não deu certo? Ótimo, pois ainda há tempo para trocar. Custará muito dinheiro e sofrimento mudar depois, quando as coisas estiverem mais consolidadas. Isso vale para a profissão e para o relacionamento.

E por que estou discutindo esses assuntos em um livro de finanças? Ora, porque com seu dinheiro não é diferente. Nessa mesma época em que tendemos a fazer escolhas imaturas, decidimos também a forma de lidar com o dinheiro. Quando começamos a formar a renda, abre-se um horizonte de oportunidades e curtições. Tornamo-nos mais independentes, temos maior poder de escolha. Afinal, o dinheiro é nosso! Sobretudo porque, quando solteiros, vivemos com os pais, em geral com casa e comida asseguradas, e não temos compromissos regulares para saldar com nosso dinheiro.

Esse período constitui uma grande oportunidade de aprender a construir a independência financeira. Se começarmos a viver além de nossas posses e gastarmos mais do que pudermos, vai faltar dinheiro no futuro. Se não tivermos planos para emergências, poderemos quebrar. Mas, se tivermos reservas suficientes, o dinheiro jamais será uma preocupação em nossa vida.

Minha sugestão é que vocês aproveitem o momento de total liberdade de escolha em relação ao dinheiro para:

1. Aprender a organizar suas finanças, gastando um pouco menos do que ganham, investindo a diferença e construindo um projeto de longo prazo para atingir determinada poupança.
2. Começar a investir em ações ou outro mercado de risco de sua escolha, estudando um pouco o assunto, o que pode gerar um crescimento rápido da poupança. Ao longo dos anos, sua aversão ao risco aumentará; então aproveitem a boa fase para acumular. Por que considero essa uma boa fase? Porque os custos essenciais são cobertos pelos pais, e o dinheiro investido não será fundamental para garantir seu futuro. Em outras palavras, porque os jovens aceitam correr mais riscos, ousam mais e, portanto, criam grandes oportunidades de ganhos. Costumo afirmar que só entende de ações quem já perdeu algum dinheiro com elas. Para não ter de aprender da pior forma, comecem desde cedo utilizando simuladores com dinheiro virtual na internet. O site do Folhainvest, do

jornal *Folha de S.Paulo*, é um dos mais populares e oferece prêmios aos participantes.[2]

Se vocês iniciarem a vida independente de modo organizado, terão um tranquilo caminho a seguir em direção à riqueza. Quando começarem a dividir sua intimidade com outra pessoa, será muito mais fácil lidar com o dinheiro se já tiverem um plano, com metas traçadas e estratégias estabelecidas. Em um relacionamento a dois, fica difícil discutir sobre investimentos de risco, como ações e moeda estrangeira, pois cada um tem seu nível de aversão ao risco. Porém, com um pouco de estudo sobre o assunto se descobrirá que, com planejamento financeiro de longo prazo, é possível neutralizar grande parte do risco pela diversificação dos investimentos. Quando, depois do casamento, se abordar esse tipo de estratégia com o parceiro, será muito mais fácil falar disso utilizando um plano pronto, de preferência apresentando como exemplo resultados obtidos no passado.

Melhor ainda: começando cedo, vocês poderão desfrutar de sua poupança antes. Digamos que tenham como objetivo financeiro atingir uma renda de R$ 10.000,00 por mês para manter a família. É uma renda razoável, que poucos conseguirão no mercado brasileiro (valores de 2012). No entanto, vocês podem garantir essa renda mesmo após a aposentadoria se escolherem, por exemplo, um dos seguintes caminhos:

- Investir R$ 1.863,00 por mês a juros líquidos[3] de 0,3% ao mês durante quarenta anos.
- Investir R$ 5.685,00 por mês a juros líquidos de 0,3% ao mês durante vinte anos.
- Investir R$ 168,00 por mês a juros líquidos de 1% ao mês durante quarenta anos – sim, R$ 168,00!

---

[2] Acesse em folhainvest.folha.com.br
[3] Juros líquidos são aqueles obtidos após descontar a inflação e o imposto de renda.

- Investir R$ 2.002,00 por mês a juros líquidos de 1% ao mês durante vinte anos.

A renda de R$ 10.000,00 por mês (atualizada pela inflação) será proporcionada pelo rendimento da poupança formada após o prazo exposto anteriormente. Considero que, com um bom patrimônio formado, não será difícil manter uma média de rendimentos de 0,5% ao mês na aposentadoria. Percebam que os juros obtidos fazem muita diferença. Hoje, investimentos tradicionais (fundos, CDBs, títulos do governo) têm um rendimento líquido de cerca de 0,3% ao mês. Para conseguir mais que isso, o investidor tem de recorrer a ativos de risco, como ações ou outras formas de investimento que valham mais na venda do que na compra. Em alguns meses vocês perceberão que obter algo em torno de 1% ao mês nos mercados de ações, imóveis ou similares requer estratégias relativamente simples: basta adquirir certa experiência, acompanhar as notícias e acreditar nas empresas mais sólidas, comprando ações sobretudo quando estiverem baratas – o que acontece nos períodos que pessimistas costumam chamar de crises. Seguindo uma estratégia e mantendo-se informados, vocês poderão estar aposentados com um salário superior ao que ganham hoje em bem menos tempo do que imaginam.

Comprar presentes caros e pagar as contas é sinal de amor?

Todo relacionamento começa no namoro. Namorar é conquistar; conquistar é surpreender; surpreender é ser diferente. Uma maneira de ser diferente é gastar dinheiro de forma inesperada. A grande mudança que ocorre com o namoro é que nossa tendência de gastar muda de foco. Passamos a usar nosso dinheiro para a conquista, comprando presentes que surpreendam a pessoa amada e agradem. A consequência desse comportamento é que muitos apaixonados perdem a fantástica oportunidade de enriquecer em uma fase muito propícia, quando a renda ainda não está comprometida com os enormes custos fixos de manter um lar e uma família.

Erra quem procura agradar à pessoa amada com presentes originais e caros? Não tenho a pretensão de dizer o que é certo e o que é errado no complexo jogo do amor, mas devo lembrar que conquistar é surpreender, e surpreender é ser *diferente*. Diferente não é sinônimo de caro, mas sim de *original*. Querem demonstrar amor? Sejam criativos! Percam algumas horas de sono bolando um presente original ou façam o próprio presente. Um belo buquê de rosas é garantia de encantamento, mas pode custar um fim de semana de lazer; uma única rosa de uma roseira cultivada durante meses no próprio jardim pode trazer encantamento muito maior...

Os rapazes devem sempre pagar a conta? As meninas devem exigir isso do namorado? E o contrário? Outro comportamento típico do namoro, fruto de uma sociedade ainda predominantemente machista, é a gentileza de o homem pagar a conta. Será dever do homem pagá-la? Aqui, cabem o bom senso e uma conversa, talvez com uma pitada de sensibilidade. No passado, os homens sempre pagavam a conta porque as mulheres não trabalhavam, portanto não tinham renda. Hoje, em alguns casos, a mulher tem renda superior à do homem.

A sociedade mudou, mas o fato de o homem pagar a conta em um barzinho ainda pode ser considerado uma gentileza. Porém nem sempre essa é a melhor postura. Pagar em todas as ocasiões pode gerar uma sensação de intimidação, algo como "pago porque posso mais do que você". Ninguém diz isso, claro, mas estamos tratando de uma nova sociedade com igualdade de direitos, deveres e poderes entre os sexos. Por outro lado, não se oferecer para pagar gera a sensação de falta de comprometimento: "Se você tem renda, por que eu pago tudo?"

O melhor caminho para evitar problemas é combinar antes. Vão sair? Ambos têm dinheiro? Vão dividir ou um paga desta vez e o outro na próxima? Proponham regras antes de receber a conta ou mesmo antes de sair. E, quando se trata de dinheiro, é muito mais elegante que a proposta de "rachar a conta" venha da parte supostamente passiva na situação. Se a sociedade ainda crê que o homem deve pagar a despesa, é elegante que parta da mulher a proposta de dividir a conta ou de pagá-la agora e ele na próxima vez. Esse é o primeiro passo para que as conversas sobre dinheiro no relacionamento sejam sempre naturais.

Dicas para presentear seu amor gastando menos

A escolha de um presente é algo muito pessoal. Com certeza, a fórmula para acertar em cheio o presente é atentar para as dicas da pessoa amada. Independentemente do presente a dar ou a receber, valem algumas regras de ouro para fazer sobrar mais dinheiro:

Poupar para presentear. Não têm como escapar de um presente caro? Às vezes, a única dica de presente-desejo disponível extrapola completamente o orçamento do mês. Se a criatividade não está em alta e não há como escapar do luxo, tenham como regra fundamental fugir dos financiamentos, que embutem o custo com juros. Façam reservas, poupem para comprar à vista. Dinheiro investido vale mais do que aquele que se guarda em casa – os juros o fazem crescer. Dinheiro financiado vale menos do que aquele que vocês pagam – os juros roubam parte dele. Não existe "dez vezes sem juros". Se o lojista se recusa a dar desconto à vista, visitem um concorrente e negociem. Sempre haverá alternativa mais barata que qualquer falso parcelamento sem juros, pois os juros estão embutidos de alguma forma.
Fujam de arapucas comerciais. Das quatro datas especiais para dar presentes – Dia dos Namorados, Natal, aniversário e ani-

versário de namoro –, as duas primeiras são um pesadelo para qualquer orçamento. Ambas são verdadeiras armadilhas para o bolso incauto. Todos saem às compras e, em razão disso, os preços sobem significativamente. Quem deve receber o presente não é o comerciante! Fujam dos preços altos! Comemorem o Dia dos Namorados na véspera. Comprem presentes pelo menos 45 dias antes dessas datas. Evitem restaurantes, motéis e bares nessas ocasiões, quando os preços chegam a dobrar em relação aos da véspera ou do dia seguinte.

Planejem as viagens a dois. Um grande contraste entre a fase de solteiro e a do namoro firme está nos gastos com viagens e lazer. Solteiros saem à noite e ficam satisfeitos com qualquer sanduíche. Namorados saem *para jantar*. Solteiros viajam e só fazem questão da bagunça – às vezes não lembram o que comeram nem onde dormiram. Namorados viajam em busca de uma pousadinha e restaurantes charmosos. Pode ser um estereótipo, mas quase sempre é assim. Mesmo mantendo os hábitos da fase pré-namoro, os gastos do namoro podem ser um pouco mais robustos. Devem deixar de fazer aquilo de que gostam? Obviamente não, mas é bem provável que a frequência das saídas tenha de diminuir em troca da qualidade. Nesse caso, a regra é planejar: pesquisar preços, juntar dinheiro durante algumas semanas, aproveitar promoções e então curtir muito!

A primeira grande crise do relacionamento

Para muitos casais, o namoro é como um conto de fadas, uma eterna preparação para a lua de mel, mesmo que ela ainda não esteja nos planos. A convivência restrita a poucos dias da semana, o fato de ambos se encontrarem sempre em clima de passeio e diversão e a ausência de rotina criam a sensação de que estar nos braços da pessoa amada é o mundo dos sonhos.

Por essa razão, a decisão de casar acaba sendo um drama para muitas pessoas. Saem de cena momentos de lazer, convivência exclusivamente a dois, presentes românticos e orçamento para um fim de semana. Entram em cena rotina do lar, convivência com parentes, gastos com moradia e orçamento apertado para o mês. O drama começa quando o casal pensa em quanto vai custar a vida a dois e nas responsabilidades a ser assumidas. Como a quase totalidade das pessoas não tem a preocupação de se preparar para isso antes de falar em casamento, as mudanças são recebidas como uma ducha geladíssima.

Está desenhado o cenário de toda primeira crise conjugal: aquela que acontece *antes* do casamento. É quando "cai a ficha". Homens entram em pânico, procuram adiar a decisão, pois percebem o tamanho e o preço da responsabilidade. Mulheres se desesperam, pois entendem que eles não estavam levando a sério o namoro. Muitos relacionamentos acabam nesse momento.

Parte dessa crise é financeira, parte é de responsabilidade pessoal. Sim, os homens surtam ao perceber a grande responsabilidade que terão pela frente – ainda fruto da sociedade machista e da falta de capacidade de compartilhar problemas. Uma forma muito simples de suavizar a transição do mundo dos sonhos para o das responsabilidades é passar a dividir seus projetos antes mesmo de falar em casamento. Compartilhem sonhos e metas para a vida. Dividam seus medos e angústias. Comecem a construir planos de independência financeira juntos, simulando os custos mensais que teriam no futuro, se casados.

Muitas pessoas que conheço e são felizes no casamento tiveram uma passagem suave entre a vida de solteiro e a vida a dois. Foram aos poucos juntando hábitos, depois projetos, depois convivendo mais tempo e com as respectivas famílias, unindo contas-correntes ou investimentos... Casar foi praticamente formalizar a vida a dois que já levavam, uma transição em que nenhum dos dois teve surpresas.

Economizando para montar a casa

Quero dividir com vocês um pouco de minha intimidade: minha primeira lição de planejamento financeiro familiar. Antes de pensar em casamento, não tinha planos de enriquecimento. Nunca fui esbanjador, poupava parte de minha escassa renda obtida como estagiário e como professor de inglês. Mas era uma poupança sem meta de longo prazo. Meu objetivo era apenas guardar. O dinheiro poupado teve altos e baixos, pois eu aproveitava o fato de ser estagiário de um grande banco para obter dicas e investir em ações, mas fazia isso sem conhecimentos essenciais sobre o assunto.

Quando eu e a Adriana começamos a falar em casamento, minha poupança não chegava ao valor de meio carro popular. E a dela era menor ainda! Mas passamos a sonhar com nossa festa de casamento, com muitos amigos e parentes, jantar, música, detalhes dos quais não abríamos mão. Construir esse sonho foi um dos momentos mais felizes de nossa vida. Montamos uma planilha que incluía tudo, inclusive os gastos com o apartamento – aluguel, reforma, móveis e decoração – e a lua de mel. Quando fomos pesquisar preços e condições, bateu o desânimo que bate em todo casal nessa fase. O valor de tudo aquilo era absurdamente alto e incompatível com nossos salários! Teríamos de guardar quase todo o dinheiro que ganhávamos, durante pelo menos dois anos, para financiar o início de nossa vida a dois.

Nesse momento, tomamos a decisão que não só foi a mais correta como também a que me incentivou a desenvolver todo um trabalho a partir de então, passando a orientar as pessoas a agir como nós. Construímos um plano para pagar tudo. De acordo com ele, teríamos de poupar 75% de nossa renda conjunta, durante 24 meses, e ainda contar com mais seis meses de renda para pagar algumas prestações que se acumulariam após a lua de mel, já que o dinheiro não seria suficiente para financiar tudo no prazo que desejávamos. Foi preciso paciência – para esperar um pouco mais do que gostaríamos – e sacrifício – para deixar de gastar nosso dinheiro e economizar muito.

Não fizemos como muita gente faz. Alguns resolvem casar quanto antes, pois "se não fizermos agora, não faremos nunca". Começam uma vida a dois cheia de problemas e dívidas. Muitos casamentos acabam assim, pois o sacrifício, se evitado antes, tem de ser feito no melhor momento da vida a dois. Outros resolvem simplesmente adiar, sem estabelecer uma meta: "Não temos dinheiro e não podemos agora." E não terão nunca, se não colocarem algum plano em prática.

Meu plano com a Adriana deu tão certo que, nesse período de dois anos entre a decisão e o casamento, sentimos que o mundo percebeu nossa alegria. Trabalhamos com imensa determinação e economizamos com garra, pois o objetivo estava logo ali. Era um sacrifício, mas perfeitamente aceitável, pois tinha data para acabar. Toda essa disposição se refletiu na qualidade de nosso trabalho: crescemos na carreira e nossa renda aumentou. No dia do casamento, tínhamos acumulado mais do que estava nos planos iniciais. Casamos com as contas quitadas (sem as prestações que projetáramos), apartamento montado e pagando uma lua de mel bem mais ambiciosa do que sonháramos.

Deu tão certo que a primeira coisa que fizemos ao iniciar a vida no novo lar foi esboçar nossa planilha de orçamento doméstico, com metas de poupança e independência financeira – como o planejamento que explicarei no próximo capítulo.

Construindo o ninho

O momento da escolha da moradia é decisivo para o sucesso financeiro do casal. A diferença entre a boa e a má escolha pode resultar tanto num futuro milionário quanto num total desastre financeiro. Isso porque nosso padrão de vida é *escolhido* quando definimos nossa moradia. Com ela, vêm hábitos de consumo, eletrodomésticos, despesas com transporte (em função da proximidade do local de trabalho), gastos ou economias com facilidades (garagem, quintal ou playground para os filhos), impostos e status da vizinhança – preços diferenciados na padaria, na feira e no supermercado, por exemplo.

Escolher uma moradia com padrão acima de suas posses inviabilizará a formação de poupança e aumentará o risco de gastar dinheiro desnecessariamente com juros, nos períodos em que a conta familiar entrar no vermelho. Em outras palavras, **dificuldades financeiras são escolhas pessoais: vocês decidem tê-las quando ignoram a importância do planejamento financeiro.**

Com exceção dos poucos felizardos que ganham uma casa de presente dos pais, existem basicamente três opções para a definição da moradia: comprar, alugar ou construir a própria casa.

O tradicional conselho de família diz que comprar um imóvel é melhor do que alugar. Cuidado: esse era um conselho muito bom na época em que as taxas de inflação eram elevadas e o mercado financeiro não oferecia alternativas de investimento que acompanhassem a inflação. Comprar pode ser o pior negócio, a não ser que a moradia esteja em local com grande potencial de valorização, esteja abaixo do valor de mercado ou quando o casal dispõe de recursos no Fundo de Garantia suficientes para pagar significativa parte do valor do imóvel – pelo menos 30%. Isso porque o saldo do FGTS rende juros muito baixos – 3% ao ano mais TR, ou seja, bem menos que a caderneta de poupança! Mesmo nessa situação, porém, é preciso pensar duas vezes e fazer as contas se vocês tiverem de financiar o restante do valor do imóvel durante um prazo muito longo. Adiem a compra e esperem formar um fundo maior, se for o caso.

Pensem da seguinte forma: se hoje vocês recebem de herança uma casa avaliada em R$ 100.000,00, qual é a melhor escolha: vendê-la ou alugá-la a terceiros?

Opção 1: se vocês venderem a casa e aplicarem essa quantia em um bom fundo de renda fixa ou título público, a juros líquidos (após impostos) de 0,65% ao mês,[4] receberão R$ 650,00 ao mês de renda.

Opção 2: se vocês optarem por ficar com a casa e alugá-la, terão dificuldades em receber mais do que 0,6% do valor do imóvel, isto é, R$ 600,00 ao mês, sem contar a taxação do imposto de renda e os riscos: não receber o aluguel ou ter de arcar com os gastos de manutenção (e condomínio, no caso de apartamento) no período em que o imóvel permanecer vago.

A não ser que tenham certeza de que o imóvel se valorizará bem acima da inflação, a opção 1 é claramente melhor, sobretudo se considerarmos que existem alternativas mais rentáveis de investimento e que nem sempre se consegue alugar um imóvel a preços de mercado. Essa situação somente se inverte quando a região apresenta grande potencial de valorização imobiliária ou escassez de unidades disponíveis, o que faria do imóvel um bom investimento. Nas grandes cidades, porém, isso é cada vez mais raro.

O raciocínio a ser utilizado na aquisição de um imóvel é o da outra parte na negociação. Se alugar é um péssimo negócio para os proprietários, é um ótimo negócio para os inquilinos. Entre comprar uma casa à vista e alugar outra de mesmo valor, pode ser melhor alugar. Em vez de desembolsar R$ 100.000,00, apliquem esse valor e paguem com sobra um aluguel de R$ 600,00, já que a renda mensal com os juros será em torno de R$ 650,00 ou mais.

E se vocês não tiverem os R$ 100.000,00 para comprar à vista? Vale a pena entrar num financiamento? Vejam o exemplo que desenvolvi no livro *Dinheiro: os segredos de quem tem*:

---

[4] Aqui, não desprezo a inflação, já que o valor do aluguel mensal também será corrigido periodicamente de acordo com a inflação.

- Para adquirir um imóvel cujo preço à vista é de R$ 100.000,00, será necessário pagar uma prestação média de R$ 1.101,09 se vocês optarem por um financiamento de vinte anos com juros mensais de 1% mais inflação.[5]
- Se, em vez de entrarem em um financiamento, optarem por alugar um imóvel de padrão idêntico (mesmo preço de venda), irão pagar R$ 800,00 por mês, na pior das hipóteses.
- Se vocês tomarem o cuidado de poupar a diferença de R$ 301,09[6] durante vinte anos, a juros líquidos de 0,6% ao mês (após taxas, impostos e inflação), acumularão nesse período o equivalente a, em valores de hoje, R$ 160.710,50.
- Se, após os vinte anos de poupança, vocês pararem de poupar os R$ 301,09 todo mês e deixarem o dinheiro acumulado rendendo juros líquidos de 0,6% ao mês, terão uma renda mensal para o resto da vida de R$ 964,26, dinheiro mais que suficiente para sempre alugar um imóvel novo de R$ 100.000,00 e ainda deixar o patrimônio crescendo. Sem contar que, após vinte anos, o imóvel comprado já estaria bastante depreciado...

Vocês devem estar se perguntando por que, então, seus parentes e amigos não fazem isso. A razão é simples: falta a disciplina de poupar quando se opta por uma situação financeiramente mais vantajosa.

Farão negócio muito melhor os casais que, em lugar de pagar por moradia pronta, tiverem a oportunidade de construir a própria casa. A economia pode ser da ordem de 40%, desde que a obra seja bem administrada.

É uma questão de escolha, pois é preciso ter tempo e paciência para planejar, acompanhar, estudar preços de material e cobrar desempenho dos empreiteiros. Se tempo e paciência não forem recursos abundantemente disponíveis, o barato pode sair bem mais caro.

---

[5] Todos os valores citados continuam válidos no futuro, pois estamos sempre considerando o efeito da inflação tanto no financiamento quanto no investimento.

[6] Corrigindo esse valor pela inflação, como ocorreria no financiamento.

Investindo na economia doméstica

Segundo o Dieese,[7] a família média brasileira gasta cerca de 24% de sua renda com habitação e mais 6% com serviços públicos (água, luz e telefone). Quase um terço da renda familiar!

Por isso é importante que, ao comprar eletrodomésticos, não se esqueçam de verificar o selo Procel,[8] uma espécie de certificação para as indústrias que produzem equipamentos elétricos que cumprem todas as normas de funcionamento e economizam energia. O selo indica o consumo mensal de energia para cada aparelho, que varia muito dentro da mesma categoria de eletrodomésticos.

Cuidado com as escolhas baseadas no preço menor. Equipamentos mais baratos, em geral, consomem muito mais energia. A diferença no preço de compra de uma geladeira ou freezer, por exemplo, pode ser recuperada em poucos meses de consumo mais baixo de energia.

Outra sugestão para antes da mudança é a substituição de aquecedores elétricos – grandes vilões do consumo de energia – por aquecedores a gás. Em regiões de menor incidência de chuvas, os aquecedores solares também são um excelente investimento. A longo prazo, é economia certa, principalmente se a família aumentar.

Cuidado também ao escolher a localização da casa ou do apartamento. Em situações em que há várias unidades, como em condomínios, a opção por aquelas com preço um pouco mais baixo pode resultar em elevados gastos com compra e consumo de aquecedores ou equipamentos de ar condicionado, devido à localização desfavorável do imóvel.

---

[7] Departamento Intersindical de Estatística e Estudos Socioeconômicos. Mais informações na internet em www.dieese.org.br.
[8] Programa Nacional de Conservação de Energia Elétrica. Mais informações na internet em www.eletrobras.com/procel.

CAPÍTULO 4

As finanças dos recém-casados

Vida a dois: até que ponto juntar tudo

Um casamento só dá certo quando seu verdadeiro sentido é o da união. O discurso diz que particularidades e individualidades devem ser respeitadas. A prática mostra que, na verdade, elas são *toleradas*, e há uma expectativa recíproca de que, ao longo do relacionamento, cada um acabe cedendo um pouco de sua individualidade e as afinidades se reforcem. Se isso não acontecer, os conflitos certamente surgirão.

O mesmo vale para as finanças do relacionamento. Elas serão saudáveis se for praticado o sentido de união e vocês administrarem a renda familiar em conjunto. Com o casamento, passam a ser dois salários, duas cabeças pensando, duas formas diferentes de lidar com o dinheiro. Imaginem a dificuldade se cada um tiver os próprios objetivos financeiros, trabalhar com um orçamento diferente e decidir como investir seu dinheiro. Com o tempo, o desequilíbrio é inevitável. **Planos comuns jamais serão construídos de modo eficiente se tudo no relacionamento for dividido. Perde-se em eficiência, em organização e em resultados!**

Se ambos já tinham um planejamento financeiro individual antes da união, a transição para o planejamento conjunto deve levar em conta os seguintes passos:

- Vocês devem definir qual dos dois orçamentos está mais organizado e prático para a gestão das contas dos dois e adotar esse modelo de plano.
- Do modelo a ser descartado, devem verificar quais informações podem ser aproveitadas e agregadas ao plano comum, somando então todos os gastos em uma única planilha de orçamento doméstico.
- As contas bancárias devem ser agrupadas aos poucos, para que vocês tenham tempo de se organizar na nova situação. Lembrem-se de que muitas mudanças simultâneas geram pilhas de documentos e contratos novos. Primeiro façam a documentação da conta conjunta, preferencialmente adicionando um dos dois a uma das contas existentes, para não perder o histórico de relacionamento com o banco. Então, agrupem os investimentos e depois os cadastros de débito automático de contas. Transfiram o dinheiro do salário para a nova conta e, somente após se certificarem de que tudo está funcionando como previsto, encerrem a conta-corrente a ser descartada.
- Preferencialmente, os cartões de crédito também devem ser unificados, para que vocês possam pagar uma anuidade menor e aproveitar melhor os programas de milhagem e vantagens oferecidos. Cancelem o cartão cujo histórico de gastos seja menos relevante.

Contas bancárias separadas: são válidas no caso em que ambos trabalham e se veem obrigados a receber o ordenado por bancos diferentes. Mas, ao menos os investimentos têm de ser concentrados, pois os fundos de investimento mais rentáveis só estão disponíveis para clientes com maiores quantias para aplicar. Além disso, ao manter contas separadas, paga-se tarifas bancárias em dobro.

É razoável abrir mais de uma conta-corrente quando há preocupação com a segurança. Com o elevado número de sequestros-relâmpago nas grandes cidades brasileiras, tornou-se hábito comum das famílias manter duas contas-correntes no mesmo banco. Numa ficam todos os investimentos e recursos não usados no dia a dia. Na outra, apenas recursos suficientes para saques diários ou para "atender" a eventuais abordagens criminosas. O cartão da conta principal jamais deve sair de casa. Negociem com o gerente a isenção de tarifa para a segunda conta, com base no bom relacionamento da conta principal.

Alguns casais justificam a manutenção de contas separadas porque um dos dois é muito mais organizado que o outro. Isso ocorre em situações em que, por exemplo, um seja do tipo financista e o outro do tipo desligado. Tal justificativa apenas contribui para o adiamento das conquistas financeiras. Se o problema é a desorganização do parceiro, o mais competente nesse quesito deve assumir a administração da conta-conjunta, inclusive propondo limites para o uso do dinheiro. O trabalho não será muito maior que o de administrar uma conta individual.

Rose e Tadeu sempre procuraram manter suas finanças organizadas. Ela, muito disciplinada e metódica, anota tudo, compara os gastos do mês atual com os do anterior, conversa com Tadeu sobre limites e cortes de gastos para não estourar o orçamento e até decide com o gerente do banco em que investimentos aplicar. Lembro-me sempre da Rose porque ela é a única pessoa que conheço que, no canhoto do cheque, preenche os campos "saldo anterior" e "saldo atual". Porém, há algum tempo conversávamos sobre uma dificuldade do casal: enquanto ela era extremamente rigorosa com seus controles, Tadeu era o oposto – não tinha controle nenhum. Todo mês, eles se desentendiam porque Tadeu emitia vários cheques e deixava os canhotos em branco. Rose emitia um cheque achando que tinha saldo e... conta negativa! Após duas ou três brigas mais sérias, foi Rose quem assumiu as rédeas. Propôs a Tadeu que ele andasse com apenas uma folha de cheque na carteira. Quando quisesse outra, ele lhe passaria os dados do último cheque gasto. Aí foi Tadeu quem não gostou! O problema foi resolvido com o surgimento do dinheiro eletrônico. Hoje, eles não usam mais cheques. Tudo é comprado no cartão de crédito ou no de débito, e Rose controla diariamente via internet o movimento da conta conjunta dos dois.

Regimes de casamento civil

O regime de casamento civil mais comum na sociedade brasileira é o da comunhão parcial de bens, em que o casal compartilha tudo o que foi conquistado após o casamento. Em caso de separação, os bens possuídos anteriormente não são divididos, mas tudo o que foi obtido junto é partilhado por igual. Nada mais justo.

Os demais regimes de casamento são eficientes em condições muito específicas. A comunhão universal de bens é um regime justo para noivos cujas famílias possuem condições e patrimônio semelhantes. Bens anteriores ao casamento e heranças são comuns aos dois, sendo divididos igualmente em caso de divórcio. E a separação total de bens é sugerida em situações em que um dos noivos tem um patrimônio e uma renda muito superiores aos do outro e cada um possui certa independência financeira – como no caso de artistas e profissionais de grande projeção. É coerente que as finanças de cada um sejam mantidas separadas. Como em toda situação em que há uma parte financeiramente favorecida, é elegante que a sugestão por esse regime de casamento parta do "mais fraco", no caso quem tiver menor renda e patrimônio. Esperar que parta do outro é criar oportunidades para um desconfortável clima de desconfiança, o grande problema das discussões sobre dinheiro em família.

O caminho a seguir, então, é aquele que traduz na essência o sentido do casamento – unir e compartilhar. Vocês começarão com o pé direito se, desde o começo, ambos:

- Construírem sonhos e planos comuns.
- Elaborarem e respeitarem um orçamento familiar.
- Forem disciplinados em relação aos investimentos familiares.
- Mantiverem as contas em dia.
- Celebrarem a conquista de metas financeiras.

Início do planejamento financeiro

Algumas pessoas pensam que o planejamento financeiro – que também chamo de projeto de independência financeira – requer a ajuda de especialistas com elaboradas ferramentas de análise e capacidade de prever o futuro. Essa é uma ficção decorrente da dificuldade que muitos têm em lidar com números e tabelas, pois a educação financeira infelizmente ainda não é uma realidade nas escolas brasileiras em todos os níveis.

Na verdade, a tecnologia empregada em um planejamento dessa natureza utiliza nada mais que ferramentas de matemática financeira básica, com conceitos e formulações compatíveis com a matemática estudada no ensino médio. Se aquilo que se ensina nas escolas fosse exemplificado com casos cotidianos das famílias, é provável que grande parte dos brasileiros ingressasse em seu primeiro emprego com planos de independência financeira ao menos esboçados. Esse é um pequeno passo a ser dado para construirmos um Brasil mais rico.

Quero dedicar este capítulo a provar dois fatos:
1. Qualquer casal pode fazer o próprio planejamento financeiro se dedicar alguns minutos por semana ao seu futuro.
2. O planejamento financeiro familiar não pode ser complicado. Após dedicar algumas poucas horas a sua elaboração, basta fazer pequenos ajustes periódicos (talvez, semestralmente) nas metas para orientar a vida para o caminho da prosperidade. Tais ajustes seriam decorrentes de mudanças nos salários, na

rentabilidade dos investimentos, na inflação e nos objetivos do plano. Se o controle financeiro familiar for difícil demais e lhes tomar muito tempo, vocês tenderão a abandoná-lo para aproveitar melhor os momentos de lazer.

É notório o fato de que, para enriquecer, é preciso aprender a gastar. Sua riqueza não depende do que vocês ganham, mas sim de como gastam. Se, com uma renda baixa, vocês conseguirem construir com dignidade um padrão de vida saudável e feliz, conscientes de que poderão mantê-lo no futuro, estarão em situação bem melhor do que executivos que ganham rios de dinheiro mas gastam tudo para manter um nível de vida elevado e ficam à beira de um enfarte quando têm o emprego ameaçado.

Alguns pontos são essenciais no planejamento financeiro:
- Controle de gastos.
- Estabelecimento de metas.
- Disciplina com investimentos.
- Ajustes referentes a inflação e mudanças na renda.
- Administração do que se conquistou.

Abordarei a seguir, em detalhes, cada um dos passos para que vocês tenham as finanças organizadas e saudáveis, além de propor algumas interpretações racionais para decisões tipicamente emocionais.

Orçamento: dá para cortar?

O primeiro passo para poupar é fazer sobrar dinheiro. Tenham certeza de que boa parte dos motivos para o fato de não sobrarem recursos para poupar não está nos grandes gastos do orçamento. Está nos pequenos, aqueles que fogem ao controle. Todos sabem quanto ganham e quanto pagam de aluguel, prestações, escola, transporte, supermercado. Mas muitos se assustam no fim do mês, quando as contas entram no vermelho, porque os pequenos gastos diários com padaria, feira, presentes, banca de jornal e outros somam-se e criam um rombo no orçamento.

Passar a controlar esses gastos requer intensa disciplina durante um curto período de tempo, até que comecemos a prestar mais atenção neles. Minha sugestão: ponham no papel todos os gastos que vocês tiverem durante um mês. Sejam rigorosos, andem com uma folha de papel na carteira e anotem TUDO, das caixinhas dadas ao "flanelinha" à moeda perdida no ônibus.

No fim do mês, montem uma planilha – pode ser no computador, na agenda ou mesmo em um caderninho – com a relação de todos os tipos de gastos mensais. Percebam como é impressionante a soma dos valores que não relacionaríamos em nosso orçamento. Quando tiverem a relação de todos os gastos, vejam se não esqueceram de anotar as seguintes contas:

Aluguel/prestação da casa	Telefone fixo	Tarifas bancárias
Condomínio	Telefone celular	Plano de previdência
Escola	Internet	Tít. de capitalização
Plano de saúde	TV a cabo	Revistas e jornais
INSS (autônomos)	Refeições	Loterias
Combustível/ônibus	Supermercado	Caixinhas/gorjetas
IPTU + taxas municipais*	Padaria	Presentes
IPVA + seguro obrigatório*	Feira	Extras diários
Impostos	Lavanderia	Reservas**
Contribuição sindical	Despesas médicas	– Trocar o carro
Seguros*	Remédios/farmácia	– Férias
Pensões e dízimos	Vestuário	– Celebrações
Faxineira/empregada	Diversão/lazer	– Educação
Energia	Estética e higiene	
Água	Academia de ginástica	
Gás	Mensalidade de clube	

* Alguns gastos podem, optativamente, ocorrer de uma única vez ou ser parcelados por vários meses, como IPTU, IPVA e seguros. Em geral, os juros não compensam o parcelamento. Optem por ele apenas se vocês não tiverem reservas para o pagamento à vista ou se o dinheiro estiver aplicado em investimentos com rentabilidade sensivelmente superior aos juros cobrados na época da escolha – pelo menos 0,2% ao mês acima dos juros.

** A constituição de reservas para aquisição ou troca de bens não é ainda um hábito muito difundido, mas é importante para o melhor desempenho de seu dinheiro, mesmo que não se saiba ao certo quanto poupar nem por quanto tempo. Na pior das hipóteses, dividam o valor do bem pelo número de meses que desejam poupar. Os recursos para uma finalidade específica podem ser investidos separadamente em um fundo que escolherem somente para esse objetivo. Uma boa alternativa é aplicar no mesmo fundo em que vocês investem para o futuro, acompanhando em um caderninho ou uma planilha que parte desses recursos deverá estar disponível para o gasto desejado. Lembrem-se: quanto maior o dinheiro reunido, mais rentáveis serão as alternativas de investimento.

Com a planilha feita, discutam o que está em excesso e decidam o que pode ser cortado. Se, aparentemente, não há o que cortar, estabeleçam metas para a redução de gastos. Alguns não podem ser cortados, mas certamente há "gordurinhas" nos gastos com supermercado, feira, energia ou água. As economias serão pequenas, mas a soma delas pode concretizar seu plano de independência financeira. Mais adiante, na seção "Onde economizar", apresento algumas sugestões para a redução de gastos no orçamento que nem sempre são óbvias.

Imponham limites a cada categoria de gastos e sigam esses limites com precisão. Incluam em sua planilha a meta mensal de investimentos, não importa se vocês optarem por um valor mensal ou por um percentual do salário. E paguem-se primeiro, isto é, poupem o valor mensal previsto assim que receberem o salário! Os investimentos passarão a ser a prioridade número 1. Todas as demais contas devem adequar-se ao projeto de independência financeira do casal. O aluguel aumentou com a inflação? É hora de apertar os cintos, e não de comprometer o plano traçado. Será melhor sofrer alguns poucos meses até o dissídio ou o décimo terceiro salário que padecer durante toda a velhice com privações.

A crise dos sete anos

Talvez uma das maiores lições que recebi de amigos experientes antes de meu casamento tenha sido sobre a crise dos sete anos. Nunca me apeguei muito a números cabalísticos, mas achei curioso o fato de muitas pessoas afirmarem que, após sete anos de casamento, as coisas "azedam". "A crise dos sete anos é inevitável", afirmam muitos casais.

Senti um grande alívio quando um casal de amigos com vários anos de casamento muito feliz nos explicou, a mim e à Adriana, de forma bem-humorada, os motivos para a ocorrência da crise. Segundo eles, com o tempo muitos dos detalhes charmosos do lar do casal se desfazem.

No começo, tudo é novo e reluzente: enxoval, faqueiro lustroso, copos de cristal para servir as visitas, todos os eletrodomésticos em perfeito funcionamento.

Depois de cerca de sete anos de uso, muitos jogos de copos já estão incompletos, os talheres opacos, o enxoval com aparência de usado. Muitos eletrodomésticos deixaram de funcionar, e a rotina do casal passa a incluir a visita de técnicos que cobram os olhos da cara por serviços malfeitos. Muitas lâmpadas da casa se queimam, e os insistentes pedidos para que o "maridão" as troque soam como implicância. As paredes precisam de pintura, mas dá para continuar vivendo assim. As portas rangem, os ralos estão entupidos, o filtro de água está com defeito, enfim, um sem-número de problemas transformam o outrora "ninho de amor" em um cafofo caindo aos pedaços.

Esses problemas não são notados, pois vão ocorrendo aos pouquinhos ao longo do tempo. Por volta dos sete anos de casamento, parece que o charme e o romantismo acabaram, mas a grande verdade é que foi o dinheiro que encurtou. O bom é que a crise dos sete anos pode ser evitada. Não é trabalhoso, mas envolve alguma disciplina, mais uma vez com os olhos no futuro. O casal deve incluir em seu orçamento recursos para formar uma poupança destinada a "reformar a casa" de tempos em tempos. Alguns optam por trocar tudo de uma vez após sete ou oito anos de casamento. Ótimo! É como casar de novo, renovar sonhos, curtir a emoção de ter novidades na vida. O caminho a ser evitado é justamente o da acomodação. Não existe o "estamos bem assim". A vida depende de renovação!

Estabelecendo metas

Quando vocês se propõem organizar e controlar com mais carinho sua vida financeira, o objetivo principal certamente é viabilizar a conquista de sonhos. Se tiverem sucesso nessa proposta, seguramente conquistarão o objetivo secundário de não sofrer com dificuldades financeiras.

Os sonhos a que me refiro não são somente os de segurança e independência financeira, talvez a grande meta que muitos não cuidam de ter. Existem metas intermediárias que, mesmo que não sejam estipuladas a dois, custarão muito mais caro se forem financiadas por bancos ou financeiras, e não com os próprios recursos.

Se, por exemplo, o sonho de vocês é comprar um carro, vejam qual é a melhor opção de pagamento:
- Se, para a compra do carro, vocês resolvessem poupar R$ 300,00 por mês em uma aplicação com rendimento líquido mensal de 0,6%, acumulariam em cinco anos R$ 21.589,42. A soma dos depósitos nesses sessenta meses seria de R$ 18.000,00,

mas os rendimentos da aplicação teriam trabalhado para vocês e viabilizariam a compra de um automóvel melhor.

- Se vocês, porém, optassem por comprar hoje um automóvel de R$ 21.589,42, financiado em sessenta meses a juros de 0,6% ao mês, pagariam sessenta prestações de R$ 429,54! Em vez de os juros trabalharem para vocês, a situação se inverteria: vocês estariam trabalhando – e muito – para pagar os juros compostos. Os desembolsos totais no período seriam de R$ 25.772,40, cerca de 43% a mais do que os R$ 18.000,00 da opção anterior.

Portanto, se nossos sonhos de consumo podem nos custar muito menos, temos de estabelecer com antecedência nossas metas para poder concretizá-las. Isso vale para aquisições de carros e propriedades, cursos, educação dos filhos, viagens, celebrações em família, nova decoração da casa, presentes e outros tantos sonhos cujos custos não cabem no orçamento do mês, quando financiados. A situação presente da economia brasileira, mais estável do que no passado, já nos permite planejar o futuro, por isso temos de aproveitar essa conquista.

Para ajudá-los a estimar o valor mensal a poupar para cada uma de suas metas, desenvolvi a tabela da página seguinte, que mostra quanto poupar por mês, a diferentes taxas de juros, para formar uma massa de recursos de R$ 1.000,00.

Suponhamos que vocês queiram economizar durante quatro anos para fazer uma viagem que custe R$ 10.000,00. Com juros líquidos de 0,65% ao mês, pela tabela, teriam de acumular R$ 17,82 ao mês em sua aplicação para formar R$ 1.000,00 daqui a quatro anos. Como sua meta é de dez vezes esse valor, terão de poupar dez vezes mais, ou seja, R$ 178,20 ao mês. Caso queiram antecipar a viagem em um ano, a poupança mensal sobe para R$ 247,40, conforme se observa pelo valor situado imediatamente à esquerda na tabela.[9]

---

[9] Caso queiram fazer cálculos com outras variáveis, como rentabilidades maiores e objetivos em valores fracionados, sugiro baixar a Simulação de Poupança disponível no link www.maisdinheiro.com.br/simuladores.

Percebam que não é difícil. Conversem sobre suas metas a dois e também sobre as metas individuais, analisem seu orçamento para adequá-lo à necessidade de fazer reservas para essas metas. Escrevam todas elas, assinem e datem. Essa atitude vai ajudar a firmar em seu pensamento que vocês realmente se comprometeram a alcançar suas metas. É também aconselhável colocar essas anotações em local em que possam vê-las diariamente, como motivação adicional para continuar com o objetivo mesmo quando surgirem as tentações inevitáveis de desistência.

Prazo em anos	1	2	3	4	5	10	15	20
Taxa de juros/mês								
0,30%	81,97	40,25	26,35	19,40	15,24	6,94	4,20	2,85
0,35%	81,74	40,01	26,11	19,17	15,01	6,72	4,00	2,67
0,40%	81,52	39,78	25,88	18,94	14,78	6,51	3,80	2,49
0,45%	81,29	39,55	25,65	18,71	14,56	6,30	3,62	2,32
0,50%	81,07	39,32	25,42	18,49	14,33	6,10	3,44	2,16
0,55%	80,84	39,09	25,19	18,26	14,11	5,91	3,27	2,01
0,60%	80,62	38,86	24,97	18,04	13,90	5,71	3,10	1,87
0,65%	80,40	38,64	24,74	17,82	13,68	5,53	2,94	1,74
0,70%	80,17	38,41	24,52	17,60	13,47	5,35	2,79	1,62
0,75%	79,95	38,18	24,30	17,39	13,26	5,17	2,64	1,50
0,80%	79,73	37,96	24,08	17,17	13,05	4,99	2,50	1,39
0,85%	79,51	37,74	23,86	16,96	12,85	4,83	2,37	1,28
0,90%	79,29	37,52	23,64	16,75	12,64	4,66	2,24	1,19
0,95%	79,07	37,29	23,43	16,54	12,44	4,50	2,12	1,10
1,00%	78,85	37,07	23,21	16,33	12,24	4,35	2,00	1,01

O estabelecimento de compromissos por escrito ajuda a evitar as compras por impulso. A partir de seu casamento, Már-

cia e Mílton começaram a poupar cerca de 25% de sua renda com o objetivo de conquistar a independência financeira. A meta que ambos concordaram em assumir por escrito era de formar uma poupança equivalente a R$ 800.000,00 atuais até que Mílton completasse 45 anos, para então viver com a garantia da renda da poupança formada ou abrir um negócio próprio.

Em duas oportunidades eles quase caíram na tentação de desistir de seu objetivo. A primeira foi quando veio ao mundo a princesinha da família, Mariana. Na época, tinham o equivalente a R$ 80.000,00, faltando exatamente dez anos para expirar o prazo proposto em seu compromisso. Eles não conseguiriam mais poupar 25% da renda, mas apenas 16%. Refazendo os cálculos, o casal notou que precisaria ser um pouco mais seletivo em seus investimentos, pois seria necessário obter rendimentos médios de 0,7% ao mês líquidos para alcançar o objetivo. Até então, conseguiam obter apenas 0,55%. Mílton propôs retirar R$ 2.000,00 da poupança para ambos se inscreverem em um curso de finanças pessoais e investimentos.

Aplicaram tão bem seu conhecimento que, recentemente, ao completar 42 anos, Mílton fazia comentários sobre o bem-estar de terem acumulado R$ 750.000,00. Conseguiriam formar os R$ 800.000,00 em mais seis meses, dois anos e meio antes do prazo. Mesmo assim, ele me falava da importância de ter a meta por escrito, pois há dois anos pensaram de novo em desistir de seu objetivo, desta vez ao receberem uma proposta de compra de um sitiozinho maravilhoso de um colega de trabalho. Eles tinham dinheiro para comprar à vista, mas o "contrato" os fez resistir à tentação e seguir com seu plano. Hoje poupam 18% do que ganham – 13% vão para a poupança do sítio e 5% para o projeto de independência financeira. Ambas as metas serão conquistadas até os 45 anos de Mílton.

Independência financeira: o futuro garantido

Um dos momentos críticos da vida profissional é aquele em que se começa a sentir sinais de esgotamento em relação à carreira. Muitos conquistam a renda desejada abrindo mão da satisfação pessoal e passam anos trabalhando assim. O salário é uma boa indenização, afinal. Mas a idade avança, o pique não é o mesmo, e tudo que esses profissionais queriam na vida seria poder "reduzir o ritmo".

Certamente, vocês já ouviram comentários desse tipo. O drama é que a grande maioria das pessoas não pode se dar a tal luxo, pois são escravas de sua renda. Se pararem de trabalhar ou sofrerem redução de salário em uma eventual mudança de emprego, não conseguirão manter o padrão de vida. E a sonhada aposentadoria passa a ser adiada cada vez mais. A insatisfação faz a saúde deteriorar-se rapidamente. Muitos chefes de família perdem a vida por não aguentar esse sofrimento.

Felizmente, é possível mudar o quadro. Se vocês decidirem não contar mais com a sorte e encarar a possibilidade de enriquecer por escolha, de forma planejada, poderão ter um futuro muito mais próspero em todas as fases da vida. Nem todos os problemas podem ser prevenidos ou evitados, mas vocês podem, hoje, escolher pelo menos não ter dificuldades financeiras, que muitas vezes desencadeiam outros tipos de problema.

A sensação de riqueza se mede pelo estado de espírito, e não pela conta bancária. É rico quem tem uma vida feliz, saúde para vivê-la e também uma renda garantida para manter essa felicidade conquistada ao longo da existência. E a felicidade se constrói com escolhas – inclusive do padrão de consumo que se deseja ter.

A riqueza com abundância financeira é algo que pode ser construído com um plano de objetivos. A fórmula da abundância financeira é simples:

Gastem menos do que vocês ganham e invistam a diferença. Depois reinvistam seus retornos até atingir uma massa crítica de capital que gere a renda que desejam para o resto da vida.

A matemática também é simples. Se vocês vivem com R$ 3.000,00 por mês e planejam manter-se com essa renda pelo resto da vida,[10] precisam criar uma fonte de recursos que gere os R$ 3.000,00 mensais indefinidamente. Essa renda pode ser obtida abrindo um negócio próprio, contratada através de um bom plano de previdência privada, sem riscos, ou proporcionada por aplicações financeiras após a formação de uma massa crítica.

O cálculo da massa crítica necessária não é complicado. Em primeiro lugar, vocês devem estimar o rendimento que seria obtido em uma aplicação financeira segura. No Brasil de hoje (e, provavelmente, dos próximos anos), as aplicações financeiras mais seguras, como CDBs e fundos de renda fixa, rendem cerca de 0,4% líquido ao mês,[11] já descontados o imposto de renda e a inflação. Basta dividir a renda desejada pela taxa de juros obtida e terão a meta desejada de massa crítica. No exemplo:

R$ 3.000,00 ÷ 0,004 = R$ 750.000,00

Percebam que 0,4% de R$ 750.000,00 é igual a R$ 3.000,00. Como estamos descontando a inflação, sempre teremos o valor da poupança atualizado, que vai gerar uma renda equivalente a R$ 3.000,00.

Entendam esse raciocínio pelo seguinte exemplo:
1. R$ 750.000,00, aplicados em um fundo balanceado conservador, renderam 0,6% de juros durante o mês, já descontados o imposto de renda e a taxa de administração do banco.[12] Esse rendimento foi então de R$ 4.500,00.

---

[10] Sem contar com o INSS, prêmios, seguros e heranças. Sugiro que esses fatores não sejam levados em conta em seu plano. Inclua-os quando realmente caírem em suas mãos.
[11] 0,4% = 0,4 ÷ 100 = 0,004
[12] Quando vocês acompanham o desempenho de suas aplicações no extrato do banco, a taxa de administração já vem descontada. Os fundos de renda fixa mais eficientes chegam a co-

2. A inflação apurada no mês foi de 0,2%.[13] Essa inflação deve ser deduzida dos rendimentos de 0,6%. Sobra, então, 0,4%, que gerou R$ 3.000,00 durante o mês. Esse é o dinheiro necessário para pagar as contas da família no último mês, orçadas em R$ 3.000,00. Considerei que a inflação gerará efeitos apenas nas contas do mês seguinte, como acontece quando se usa cartão de crédito racionalmente.
3. No mês seguinte, a família precisará de mais dinheiro para pagar as contas, pois a inflação de 0,2% faz com que seus gastos cresçam para R$ 3.006,00.
4. Como, dos R$ 4.500,00 de renda, foram sacados apenas R$ 3.000,00, sobraram R$ 1.500,00 a mais na aplicação, elevando o saldo no fim do mês para R$ 751.500,00.
5. Se o fundo mantiver o desempenho e a inflação continuar no mesmo patamar, os R$ 751.500,00 gerarão R$ 4.509,00 de rendimentos (0,6%), dos quais R$ 3.006,00 serão renda líquida (0,4%) e os R$ 1.503,00 restantes serão a parcela equivalente à inflação (0,2%).
6. Se apenas os R$ 3.006,00 forem sacados e o raciocínio se mantiver, a renda jamais acabará, estará preservada inclusive diante dos efeitos da inflação.

A quantia de R$ 750.000,00 é muito dinheiro? Não, se vocês tomarem as decisões financeiras corretas ao longo da vida. Pensem no exemplo da venda da casa própria de R$ 100.000,00.[14]

---

brar menos de 0,5% ao ano. Taxas superiores a 1% ao ano justificam-se apenas em fundos de renda variável, que exigem trabalho mais intenso de seus gestores.

[13] Sugere-se que o indicador de inflação utilizado seja a própria variação dos gastos regulares da família (aqueles que ocorrem todos os meses). Por exemplo: se no mês 1 a família gastou R$ 800,00 e no mês 2 os gastos subiram para R$ 816,00, a inflação foi de 2% (816 ÷ 800 -1). Com esse raciocínio, haverá meses com inflação significativa, mas vários outros com inflação igual a zero.

[14] Demonstrado na página 55.

Aqueles que optarem pelo aluguel de R$ 800,00 e deixarem crescer os R$ 100.000,00 em um fundo que renda 0,6% líquido ao mês terão os R$ 500.000,00 em 22 anos e meio.

Muito tempo? Se, além de investir os R$ 100.000,00, puserem em prática o plano de poupar os R$ 301,09 do exemplo do aluguel,[15] terão os R$ 500.000,00 em dezoito anos.

Se melhorarem a estratégia e conseguirem juros médios líquidos de 0,7% ao mês (8,73% ao ano), esse prazo cairá para dezesseis anos. Sem mágica e sem contar com a sorte, é a matemática das finanças.[16]

Não é um belo projeto de vida? A economia brasileira oferece ao investidor a oportunidade de tirar proveito dos juros ainda elevados, desde que tome o cuidado de corrigir os valores pela inflação. Em muitos países desenvolvidos, os investimentos não remuneram mais que 2% ao ano, enquanto no Brasil obtemos facilmente 5% após o desconto da inflação. Alguns preferem investir suas economias em empreendimentos próprios que rendem mais, e isso é ótimo! Mas, para formar recursos suficientes para abrir o próprio negócio, é preciso primeiro acumular, e os fantásticos juros dos investimentos no nosso país encurtam bastante os prazos de acumulação.

> **Recapitulando**: o primeiro passo para a independência financeira é gastar menos do que se ganha, controlando o orçamento doméstico. A seguir, traçar um plano que defina quanto poupar por mês e por quanto tempo, para chegar à renda que vocês pretendem ter na aposentadoria. Se, além disso, conseguirem fazer sobrar *mais do que precisavam* para cumprir as metas do plano, no fim do mês haverá dinheiro *sobrando* na conta.

É correto investir essa sobra de recursos na antecipação da aposentadoria?

---

[15] Demonstrado na página 55.
[16] No capítulo 7 apresento diferentes estratégias para conseguir a poupança desejada.

Minha resposta é NÃO. Se, de vez em quando, sobram recursos em conta-corrente – por exemplo, ao receber o décimo terceiro salário –, não é pecado aproveitar esse bom momento e se dar o direito de alguns luxos: curtir umas férias, investir em um novo hobby, gastar em um jantar romântico, criar uma nova poupança para a troca do carro, comprar um eletrodoméstico, renovar o guarda-roupa, fazer um tratamento de beleza e assim por diante. Vocês decidem, é sua opção de luxo.

É dessas oportunidades que vem a verdadeira sensação de bem-estar financeiro. Consumir sem culpa. Recarregar as pilhas. Ser feliz. Afinal, seu futuro estará protegido!

Livrando-se das pedras no caminho

"O discurso é muito bonito, mas como pouparemos e aproveitaremos os luxos da vida se estamos devendo para todo mundo?"

Se vocês estão com o saldo negativo no banco, a culpa é das decisões erradas que tomaram nos últimos meses, talvez anos: entrar em um financiamento de casa ou apartamento de padrão superior ao que a renda comportaria com folga, comprar com financiamento e não controlar as contas do mês, descuidar-se do saldo bancário e entrar no cheque especial, comprar um presente caro em um momento inadequado para o bolso...

Tomamos decisões todos os dias. Discutam suas últimas decisões, mas não transformem essa discussão no foco do problema. Não adianta chorar o leite derramado. Gastem as energias para resolver o problema, mas prometam um ao outro pensar duas vezes antes de repetir o erro no futuro.

É preciso declarar guerra às dívidas. Vocês devem fazer todos os esforços para pagar as dívidas no menor prazo possível. Pagar aos poucos não adianta, pois isso é como cavar um buraco na areia da praia. A gente cava e cava, então vem o mar e enche o buraco de água e areia novamente. Se não quitarem as dívidas de uma vez, em poucos meses os juros vão repor o que vocês pagaram.

Então, mãos à obra. Cortem drasticamente os gastos. Economizem energia, água e gás. Comprem mais tarde na feira, cortem os supérfluos no supermercado, proíbam a si mesmos de gastar com lazer e vestuário. Economizem gasolina: andem de ônibus. Proponham-se realmente fazer sobrar dinheiro. Usem todos os tipos de poupança que vocês têm. De nada adianta não mexer nos investimentos e perder mais com os juros da dívida. O mesmo vale para bens como terrenos e imóveis à espera de valorização. Vendam o que foi comprado além da conta e não está sendo usado. **Não há investimento bom para quem está atolado em dívidas.**

Mas não esqueçam: assim que as dívidas estiverem quitadas, ponham em prática o plano de poupança e enriquecimento.

Onde economizar

Não é difícil encontrar fontes de orientação sobre como gastar menos. Todos os grandes sites de notícias da internet têm colunas específicas de finanças pessoais. Jornais e sites da internet publicam periodicamente matérias e cartilhas com dicas de economia (sugiro que vocês recortem e guardem essas matérias em uma pasta de fácil acesso). Órgãos de defesa do consumidor publicam dezenas de cartilhas que mostram como gastar menos.

Muitas dicas são bastante óbvias, como apagar as luzes ao deixar algum local ou juntar roupas para lavar e passar de uma única vez. Mas, apesar de óbvias, poucos as seguem. Eis algumas dicas não tão comuns para economizar no orçamento doméstico:

Energia: muitas famílias substituíram os aquecedores e chuveiros elétricos por aquecedores a gás porque o gás é mais barato. Esses equipamentos, porém, geralmente são instalados longe dos banheiros, e isso obriga a esperar que saia toda a água fria que está no cano entre o aquecedor e o chuveiro. Em cada banho, são cerca de 5 litros de água, mais o consumo de gás, desperdiçados. Se a família se organizasse e todos tomassem banho em sequência, não haveria tempo de a água esfriar. Para uma família de quatro pessoas, seria uma economia de 15 litros por dia, ou 450 litros de água por mês, mais o custo do gás.

Telefone: é comum a aquisição de planos familiares para reduzir o custo das ligações entre parentes. Mas a ideia de que as ligações de telefones celulares custam caro transforma em hábito o uso do telefone fixo para fazer todas as ligações quando se está em casa. É um erro. As ligações entre celulares da mesma operadora normalmente custam menos do que se fossem feitas entre um telefone fixo e um celular. Nesse caso, é mais vantajoso usar o celular mesmo quando se está em casa.

Compras em supermercado 1: alguns casais preferem percorrer distâncias maiores uma vez por mês para comprar em hipermercados da periferia. Cuidado com os estoques desnecessários. Ao comprar grandes quantidades para pagar menos, vocês podem estourar a conta e transformar a economia em juros do cheque especial. Sem dinheiro no banco e com a prateleira cheia! Além disso, precisarão de um freezer para guardar os produtos perecíveis, o que aumenta a conta de luz. É decisão muito mais sábia fazer compras com frequência maior (semanal ou quinzenal), adquirindo apenas o necessário para os próximos dias. Aprendam a fazer a lista de compras e atenham-se a ela. Além de não deixar dinheiro parado na despensa, agindo assim vocês passam a conhecer melhor os preços dos produtos. Sejam racionais, boicotem produtos quando houver aumento de preço.

Compras em supermercado 2: é importante pesquisar folhetos de propaganda para comprar nos supermercados mais barateiros ou aproveitar as promoções. Toda a economia poderá ir por água abaixo, porém, se vocês resolverem aproveitar as promoções de todos os supermercados: gastarão menos com as compras, mas perderão dinheiro no consumo de gasolina.

Liquidações e ofertas maliciosas: estamos rodeados de muito mais armadilhas do que o senso comum é capaz de perceber. Desconfiem de preços muito abaixo da média do mercado, que em geral escondem alimentos próximos da data de vencimento, móveis e objetos de decoração danificados, equipamentos ruins ou recondicionados. São frequentes também os casos em que preços muito baixos significam mercadorias roubadas ou falsificadas. Esse tipo de economia pode custar muito caro.

Juros baixos ou inexistentes nos parcelamentos: não existem juros baixos para o financiamento do comércio. Em geral, quando um varejista oferece juros muito baixos para parcelamento, parte desses juros já está embutida no preço de venda à vista. Isso significa que vocês podem encontrar preços melhores na concorrência.

Manter dois carros ou apenas um?

Infelizmente, a classe média da maioria das grandes cidades brasileiras tem o automóvel como principal meio de transporte. Esse quadro poderia ser bem diferente se houvesse maiores investimentos do governo no transporte público. De qualquer forma, a decisão de compra do automóvel ocorre mais cedo ou mais tarde em grande parte das famílias.

É preciso ter em mente que manter um automóvel custa muito caro. Em uma economia desprovida de grandes riquezas como a brasileira, posso afirmar com segurança que o automóvel, mesmo popular, é um verdadeiro bem de luxo da classe média. **Para manter um automóvel popular zero-quilômetro, é preciso gastar mais que o valor de outro automóvel a cada dois anos.** Vejam as seguintes estimativas de gastos anuais com um automóvel de R$ 20.000,00 e tirem suas conclusões:

Seguro anual (cerca de 8% do valor[17])	R$ 1.600,00
IPVA (4% do valor em SP e RJ)	R$ 800,00
Combustível (para cerca de 1.500 km/mês)	R$ 4.000,00
Estacionamento[18]	R$ 1.200,00
Manutenção (óleo e reparos)	R$ 1.000,00
Depreciação nos primeiros anos (12% em média)	R$ 2.400,00
Total de gastos por ano	R$ 11.000,00

Em outras palavras, cerca de R$ 917,00 por mês. Não considerei nessa soma o chamado "custo de oportunidade" – outros R$ 1.200,00 por ano –, que é a quantia que vocês ganhariam se os R$ 20.000,00 fossem aplicados anualmente a juros de 6%. Poucos fazem essas contas antes de comprar um automóvel, tampouco as incluem no orçamento mensal. Eis aí mais uma fonte de surpresas para o bolso! Percebam que manter um carro popular custa mais que um carro novo a cada dois anos! Se a estimativa for feita para modelos mais luxuosos, facilmente notarão que o bolso de vocês perderá um carro popular por ano.

Por isso, é preciso pensar duas vezes antes de decidir pela compra do segundo automóvel. Se, com táxi ou transporte público, uma pessoa gastar R$ 20,00 por dia, serão R$ 440,00 por mês (22 dias úteis), ou R$ 5.280,00 por ano. Parece muito dinheiro, mas isso significa apenas 48% do que ela gastaria com um automóvel – com a diferença de que ainda daria para alugar, com as sobras, um automóvel para as férias e fazer uma boa poupança.

---

[17] Esse percentual pode ser maior ou menor, dependendo do modelo, do perfil do motorista e da região de circulação, ultrapassando os 10% do valor do carro em muitos casos.

[18] Estimei os gastos com estacionamento em R$ 100,00 por mês. Quando esses gastos são maiores, há tendência de redução do valor do seguro, o que traz certa compensação.

Mas, se mesmo assim o segundo automóvel continua nos planos, é preciso tomar cuidado com a escolha. A opção por um automóvel envolve dois aspectos principais: *necessidade* e *status*. A necessidade será atendida pela escolha que leve em conta a melhor relação custo-benefício. Um casal em que um dos dois precisa de agilidade para levar o filho à escola antes de ir para o trabalho terá sua necessidade atendida ao comprar um carro popular e econômico. Uma família com mais de um filho que viaja todo fim de semana para a casa de praia ou de campo terá sua necessidade atendida ao comprar um sedã ou uma perua com bom espaço para bagagem.

As mesmas decisões podem levar à compra de veículos diferentes se o status pesar na escolha. O casal pode optar por um automóvel zero-quilômetro mesmo sabendo que um modelo similar com um ano de uso custa 15% menos. A família que viaja pode escolher um modelo com diversas opções de conforto ou um modelo de luxo, pagando alguns milhares de reais a mais.

A questão do status não está ligada necessariamente ao valor de mercado do automóvel, e sim à identificação do modelo com o estilo de vida da pessoa. Um Fusquinha com trinta anos de uso pode não valer nada e ser uma grande fonte de gastos com manutenção. Por outro lado, será de valor inestimável se ainda estiver com todas as peças originais e em impecável estado de conservação. Um verdadeiro símbolo de status.

Independentemente da escolha, é importante notar que, se os recursos são escassos, deve-se abrir mão do status. Luxo só se compra quando há mais dinheiro disponível do que o necessário para as contas da família e para o plano de independência financeira. Em caso contrário, vocês descobrirão a dolorosa sensação de perda de status ao longo da vida.

Recentemente, um ex-colega de trabalho discutia comigo seus planos para trocar de carro. Rodrigo recebera um bônus de fim *de ano e comentava sua decisão de comprar uma perua zero--quilômetro. O valor era de R$ 50.000,00. Espantei-me com a escolha, pois até então ele dirigia um sedã compacto, muito fácil de manobrar mas já com quatro anos de uso, que valia menos da metade do preço do novo carro.*

Quando perguntei por que queria uma perua, ele afirmou que era porque viajava muito. Cerca de três vezes por ano, ia de São Paulo ao interior de Minas Gerais ou a Florianópolis. Propus então uma simulação de valores. Se ele comprasse um sedã (não uma perua) do mesmo modelo e com pouco mais de um ano de uso, pagaria cerca de R$ 36.000,00. Para dirigir, a facilidade era a mesma. Se escolhido com alguma paciência e cuidado, a única diferença seria a falta do "cheirinho de novo" – e um desembolso de menos R$ 14.000,00.

E as viagens? O espaço para as bagagens não seria o mesmo! Entramos na internet e pesquisamos em locadoras o preço do aluguel de uma perua igual à que ele gostaria de comprar: cerca de R$ 800,00 por quatro dias, com quilometragem livre e seguro incluídos, mais cerca de R$ 250,00 por dia adicional. E havia a vantagem de viajar sempre com um carro novinho em folha, sem necessidade de se preocupar com sua manutenção. Convenci Rodrigo da mudança e fui convidado a dividir com ele a próxima viagem!

Quando comprar a casa

Ao apresentar a comparação entre comprar e alugar uma moradia, provei que, no aspecto financeiro, normalmente é mais vantajoso morar em um imóvel alugado, a não ser que a vizinhança esteja passando por forte processo de valorização. Muitos contestam essa opinião, alguns afirmam que casa própria oferece maior tranquilidade, outros têm certeza de que proporciona maior segurança.

Acredito que, quanto à tranquilidade, muitos se refiram ao inconveniente da correção de preços ou da dúvida em relação à vontade do proprietário de renovar o contrato de aluguel. Bobagem. Considerem esse trabalho extra como o preço – módico – do enriquecimento. Sugiro a meus amigos que moram em imóveis alugados que, periodicamente, visitem imobiliárias próximas para sondar oportunidades de aluguel mais barato ou alternativas à moradia atual. Tenham sempre uma carta na manga para manter o crescimento do dinheiro rumo a um futuro próspero.

Vejo a "instabilidade" da situação do aluguel como uma vantagem. Por isso, prefiro dar a essa situação o nome de "flexibilidade". Para aqueles que estão nos primeiros anos de carreira, ainda consolidando sua formação profissional e seu currículo, existem grandes chances de mudança de emprego. Em grandes cidades, morar próximo ao trabalho faz uma diferença enorme no orçamento. Mais: eu diria que, na cidade de São Paulo, onde vivo, morar próximo ao trabalho significa qualidade de vida. Quem muda de emprego e mora em casa própria financiada tem uma grande encrenca a resolver: enfrentar o prejuízo e a dor de cabeça de vender e comprar outra moradia ou aceitar o sacrifício de horas a mais no trânsito e muitos reais a mais com gasolina e manutenção? Quem vive em regime de aluguel não tem essa preocupação: basta esperar poucos meses pelo fim do contrato e mudar-se. O custo da mudança, se isso não ocorrer com muita frequência, é tranquilamente pago pela poupança viabilizada pela economia proporcionada pelo aluguel.

Outro argumento contra a moradia alugada é o da segurança: "Se eu perder o emprego, onde vou morar?" Esse é, na verdade, um argumento sem nexo. O que fazer em situação de desemprego se todo o seu dinheiro estiver empatado na casa? Pior ainda se vocês estiverem pagando prestações dessa casa e correrem o risco de perdê-la. Se escolherem o caminho do aluguel mais poupança, terão uma reserva formada caso ocorra uma emergência!

A conclusão a que quero chegar não é a de que sempre se deve alugar e nunca comprar. Pelo contrário. A decisão de compra será melhor depois de atingida a estabilidade financeira, profissional e familiar ou quando surgirem oportunidades reais de investimento e vocês tiverem recursos para aplicar em algo que multiplique seu capital. Mas será um mau negócio quando os recursos poupados forem insuficientes para comprar uma casa e manter o padrão de vida da família. Para que correr riscos se há alternativas mais baratas?

CAPÍTULO 5

As finanças dos casais com filhos

A chegada dos filhos é a fase da vida em que o planejamento financeiro se torna imprescindível. Se nada a respeito disso vinha sendo feito até então, esse é o momento de iniciar, mesmo que seja um pouco tarde para atingir sonhos mais ambiciosos. Neste capítulo, trato dos benefícios do planejamento não apenas para conseguir pagar as contas no fim do mês, mas também para garantir a capacidade de bancar gastos cuja frequência e intensidade aumentam à medida que os filhos crescem. É preciso manter sempre em mente a necessidade de equilíbrio entre os gastos com bem-estar e a capacidade de manter esse bem-estar no futuro.

Casais que não cuidarem antecipadamente do encarecimento da formação dos filhos sentirão, lá na frente, uma pressão muito forte sobre o orçamento familiar. Correm o risco de ver os gastos com o próprio bem-estar serem substituídos pelos gastos com a educação dos filhos. Esse é um dos aspectos da chamada crise da meia-idade, o preço que se paga por não manter a vida em equilíbrio. O dinheiro está diretamente relacionado aos conflitos dessa fase. Dois caminhos opostos podem criar medos e conflitos da mesma natureza:

1. Casais que gastam tudo o que ganham e assumem padrões de vida acima do ideal percebem, nessa fase, o erro que cometeram. Com um padrão de vida que consome toda ou quase toda a renda, não há perspectivas de formar uma boa poupança daí em diante. É quando o casal começa a abrir mão de propriedades e bens para criar reservas. Com isso, o padrão de vida cai.
2. Casais excessivamente preocupados com o futuro, que poupam tudo o que podem para a aposentadoria, percebem nessa fase que uma vida mal vivida faz com que a saúde para "curtir" a aposentadoria não seja a esperada. A mesquinharia excessiva tira o pique para viver momentos de prazer.

Nem oito nem oitenta. O desafio é encontrar ao longo do tempo o meio-termo, o nível de poupança ideal que viabilize uma vida saudável e bem vivida tanto na fase produtiva quanto na fase de retiro. Daí a importância não só de formar reservas para os gastos com a educação dos filhos, mas também de investir em lazer, em momentos a dois, na convivência com os amigos. Invistam mais em vocês e em seu relacionamento. O futuro agradece!

A família aumentou: o que muda?

A vinda do primeiro filho traz mudanças à vida do casal tão ou mais significativas do que o casamento. Muda completamente a responsabilidade dos pais em relação a sua vida profissional e familiar. Mudam também os gastos da família.

O tempo de lazer diminui muito. Na verdade, o lazer em si muda: os hábitos voltam-se muito mais para o lar. Naturalmente, os gastos com lazer são substituídos pelos gastos com os cuidados do bebê. Mas essa não é simplesmente uma questão de substituição de despesas. O lar recebe uma pessoa a mais para alimentar, vestir, abrigar. Os gastos com supermercado praticamente dobram ao incluir fraldas, produtos de higiene e alimentos especiais. Aumentam as despesas com vestuário, renovado com frequência impressionante – sem contar os equipamentos de conforto e segurança, como carrinho de bebê e cadeirinha para o carro. É preciso acrescentar um novo plano de saúde ao orçamento. Para pais que trabalham, há também a necessidade de contratar uma babá. Quem não contrata uma babá tem ao menos de "presentear" os parentes que se dispõem a cuidar da criança.

É uma verdadeira revolução no orçamento. Se ele estava apertado, agora ficará mais. Se havia grandes folgas para investimentos e luxos, provavelmente essas folgas diminuirão bastante ou desaparecerão. É claro que os primeiros gastos a cortar são aqueles com luxo. Será possível abrir mão dos jantares a dois, das saídas com os amigos, das comprinhas extras para "satisfação pessoal"? Claro que sim! Com uma vida nova em casa, surgem inúmeras oportunidades de curtir momentos únicos, que não custam nada e ao mesmo tempo são inestimáveis.

A moeda mais valiosa dessa fase da vida é o *tempo*. Se vocês deixarem simplesmente passar esses momentos com a desculpa de ter muito trabalho (ou seja, estão correndo atrás do dinheiro), chegará o dia em que perceberão que dariam todo o dinheiro ganho na vida para voltar a tê-los.

É quase certo que a renda da família cresça ao longo dos anos, pois há uma evolução natural na carreira. Pessoas experientes são mais bem remuneradas, e esses incrementos de renda normalmente acompanham algumas grandes mudanças nos gastos da família. Uma gravidez bem planejada deve levar em consideração a conquista de algumas metas profissionais. Sem dúvida o casal terá maiores dificuldades de organizar seu orçamento se surgir uma gravidez enquanto um dos dois estiver na faculdade ou cursando uma pós-graduação.

Felizmente, a sociedade aprendeu a reconhecer as qualidades femininas nas diversas atividades profissionais. A maternidade tende a não ser mais vista como empecilho à contratação de mulheres para cargos de gestão.

Independentemente dos aumentos de renda, contudo, alguns ajustes precisarão ser feitos no orçamento familiar. Antes mesmo da vinda do bebê, esse orçamento já deve comportar uma poupança prévia para mobiliar o futuro quarto e comprar os produtos essenciais. A partir da chegada da nova vida, surgem gastos com os quais a família passará a conviver mensalmente, dos quais tratarei nos tópicos seguintes.

Poupança mensal: garantia de um futuro tranquilo

Acredito que a maior preocupação dos pais em relação aos filhos é conseguir proporcionar-lhes um futuro seguro e tranquilo. O melhor caminho para atingir esse objetivo é garantir-lhes uma boa formação intelectual, física e de caráter. O restante vem automaticamente, é o que dizem especialistas em educação.

Sou muito grato a meus pais quando olho para trás e vejo que ambos não mediram esforços para me proporcionar uma boa formação. Meu pai sempre procurou assegurar-me uma educação de boa qualidade, o que me permitiu estudar nas melhores faculdades do país. Minha mãe sempre me incentivou a me alimentar de forma saudável e me estimulou a praticar esportes. Hoje tenho boa saúde e formação exemplar graças a eles.

Um dos maiores presentes que uma família pode dar aos filhos é a garantia financeira de poder estudar ou abrir o próprio negócio. Que tal formar uma poupança para garantir a faculdade de seu filho? A seguir, provo que esse é um caminho viável para qualquer família, desde que exista planejamento. Quanto antes se decidirem por esse caminho, mais fácil será para os pais atingir seu objetivo.

Uma boa faculdade custa centenas de reais por mês. Mas, se os pais resolverem investir R$ 50,00 todos os meses,[19] começando no dia de nascimento do filho, e obtiverem um rendimento líquido de 10%

---

[19] Sempre corrigindo o valor pela inflação.

ao ano,[20] haverá cerca de R$ 28.800,00 (atualizados pela inflação) na poupança do filho quando ele completar 18 anos, o suficiente para garantir os primeiros anos de faculdade. Se, a partir dos 18 anos, mais nenhuma contribuição for feita e o dinheiro não for retirado e continuar crescendo na mesma proporção, serão acumulados R$ 608.497,00 até que o filho complete 50 anos.

> **Não é fantástico? Um pouco de disciplina dos pais em relação ao dinheiro pode garantir com tranquilidade a faculdade dos filhos. E dá para ir mais longe: se os pais fornecerem uma boa educação financeira aos filhos e se estes conseguirem estudar sem usar a poupança, estará garantida também a aposentadoria deles, afora o que puderem construir com a própria renda. Uma vida sem preocupações financeiras! Quer herança maior que essa?**

Uma coisa é certa: os filhos poderão escolher com liberdade sua carreira quando perceberem que há segurança para correr riscos. Pessoas que escolhem a profissão pela paixão, e não pela necessidade de dinheiro, geralmente são aquelas que se destacam em sua área. Corram atrás de seus sonhos e o dinheiro virá atrás.

Planos de previdência e seguros

Muitos pais preferem substituir o modelo de construção de poupança do tópico anterior por planos de previdência e seguros. Os bancos

---

[20] Quando usei esse exemplo no livro *Dinheiro: os segredos de quem tem*, muitos leitores consideraram otimista a taxa líquida de 10% ao ano. Deve-se porém levar em consideração que, no Brasil, consegue-se facilmente um rendimento de 6% ao ano sem correr riscos, investindo em renda fixa. Conseguir mais 4% ao ano não é difícil com uma análise criteriosa dos investimentos. Será mais fácil ainda à medida que a poupança total acumulada for aumentando e proporcionando o acesso a investimentos melhores. Muitos pais optam pela caderneta de poupança e perdem demais com essa escolha, pois a rentabilidade real não chega sequer a 3% ao ano.

oferecem inúmeras alternativas: seguro-educação e seguro de vida, resgatáveis ou não, seguro de trabalho e planos de previdência, entre outras. A família passa a ser incentivada a adquirir esses planos principalmente após o nascimento do primeiro filho.

Não há, obviamente, razão para contratar um seguro de vida se a família tem reservas suficientes para manter o padrão de vida caso um dos pais venha a faltar. Um seguro, qualquer que seja, não pode ser visto como investimento, e sim como o preço que se paga para garantir que não falte o imprescindível. Se apenas um dos pais trabalha, ele deve fazer um seguro de vida ou de trabalho. Se, em caso de acidente com a casa – incêndio, roubo, destruição –, o casal não tiver reservas para repor as perdas, comprar outra casa ou pagar aluguel, sugere-se contratar um seguro residencial.

Recomendo com veemência aos pais que ainda não conseguiram formar uma reserva de pelo menos seis meses de salário que priorizem um seguro de vida. Se tiverem poucas sobras mensais para poupar, farão melhor investimento adquirindo uma proteção para sua família mesmo que para isso tenham que abrir mão de um plano de investimentos e independência financeira. Então sim, com o futuro de seus filhos protegido, será hora de começar a organizar o orçamento familiar para construir a aposentadoria financeira.

As famílias que possuem vários dependentes devem analisar com cuidado a hipótese de contratar planos de saúde. Para quem tem três ou mais filhos sem antecedentes familiares de doenças graves, não será bom negócio pagar planos de saúde completos[21] para toda a família, pois gastará muito mais no ano do que gastaria pagando consultas a bons médicos e exames em bons laboratórios para todos. A probabilidade de que todos fiquem doentes no mesmo ano é ínfima. Por isso, a melhor solução é contratar apenas planos hospitalares, bem mais baratos, que cobrem acidentes e internações.

---

[21] Incluindo consultas, laboratórios e tratamentos.

O mesmo vale para famílias que têm mais de quatro automóveis. É preciso fazer as contas para ver se vocês gastarão mais com o seguro anual ou com a compra de um carro novo se houver roubo ou acidente. O correto é negociar um seguro único para a "frota".

Com os planos de previdência e com os de educação ocorre a mesma coisa. O banco ou a seguradora farão exatamente o que vocês deveriam fazer se fossem disciplinados: aplicarão seu dinheiro em investimentos seguros, como títulos públicos do governo.[22] Como a empresa está sendo contratada para lhes prestar um serviço, vocês perderão uma parte da rentabilidade total para pagar as taxas de administração e carregamento desses planos.

Por outro lado, se a família não tem planejamento financeiro com metas para a aposentadoria e regularidade de aplicações, deve contratar um plano de previdência privada. Se os pais não formarem uma reserva para a educação dos filhos, farão bom negócio ao contratar um plano específico de educação.

Dicas de como gastar menos com os filhos

É preciso ter sempre em mente que os gastos com os filhos tendem a crescer ano a ano até a faculdade. Há um pequeno aumento de gastos quando eles passam a frequentar escolinhas, com a demanda de materiais de arte e educação. Mais tarde, quando começa a alfabetização, há outro salto, com demanda maior de livros, revistas e jogos. Nessa fase aumenta também a socialização da criança, e começam as demandas de atividades de lazer paralelas à escola. Na adolescência vêm manias e hobbies, roupas da moda, pequenas viagens e baladas.

---

[22] Qualquer pessoa pode investir diretamente em títulos públicos com pelo menos R$ 200,00 através do programa Tesouro Direto, disponível em qualquer grande banco e acessível também pela internet.

Os gastos são inevitáveis, mas grande parte deles é motivada mais pelos pais que pelos filhos. O importante é investir nos filhos de forma racional e organizada, seguindo alguns princípios que eles também conheçam e entendam. As dicas a seguir são muito valiosas para orientar o uso da renda da família:

Jamais apresentem as gulodices do mundo a seus filhos. Chegará o momento certo de eles mesmos descobrirem e pedirem essas coisas a vocês. É com muita tristeza que vejo pais levarem bebês de colo a lanchonetes, oferecendo-lhes refrigerantes e batatinhas. É só para provar, não é mesmo? Sim, mas essas "provadinhas" despertam o paladar para alimentos e hábitos reconhecidamente pouco saudáveis e, ainda por cima, muito caros. Deixem que seus filhos desenvolvam o próprio desejo por alguma coisa. Será muito mais gratificante presenteá-los com uma visita a um lugar que estiverem loucos para conhecer do que despejar sobre eles novidades inúteis numa idade em que não fazem escolhas baseadas em marcas e etiquetas.

Estabeleçam regras de consumo de produtos caros ou pouco saudáveis. Comentei recentemente com amigos que, quando eu era criança, tomávamos refrigerante apenas aos domingos, na casa de meu avô. O mais impressionante: duas garrafas de um litro eram suficientes para a família toda! Incentivar as crianças a consumirem doces, guloseimas e alimentos inadequados sem nenhuma regra é estimular um consumismo doentio e desnecessário, fruto do comodismo dos pais.

Estabeleçam regras de compras para as crianças. É impressionante a frequência da presença de crianças mimadas em lojas e supermercados. Usando uma expressão do doutor Içami Tiba, são verdadeiros tiranos do consumo, criando "saias justas" para os pais e forçando-os a levar para casa o que querem. Certas regras devem ser estabelecidas desde cedo. As compras não servem para trazer presentes para casa. Presentes são recebidos em datas festivas; é importante que a criança tenha noção disso, pois aprenderá a fazer escolhas criteriosas dos presentes que deseja e a valorizá-los muito mais. Se for preciso negociar, que seja um sorvete, e não um brinquedo.

Não abusem das novidades tecnológicas. Dar presentes caros quando a criança não os espera terá como único efeito o estímulo da vontade de receber presentes mais caros ainda na próxima oportunidade. Para uma criança de 3 anos, ganhar um carrinho com controle remoto pode ser tão bom quanto ganhar uma bola ou um skate. Não é nenhum pecado dar ao filho um carrinho de plástico comprado na feira se esse é o presente que o faz feliz.

Supermercado não é lugar de criança. A não ser, é claro, que elas mostrem saber comportar-se em um lugar de tantas tentações. A técnica de fazer compras com listas vai por água abaixo quando temos ao nosso lado uma criança que nos parte o coração com aquela expressão de "quero tanto". As embalagens são feitas para criar esse efeito, isso é normal. Convencer uma criança do que cabe e do que não cabe no orçamento é difícil, portanto será melhor deixá-la com alguém.

Ensinando pelo exemplo: o comportamento financeiro dos pais

Alguns investem em imóveis porque ouviram falar que é seguro. Outros não investem em ações porque um parente já perdeu muito dinheiro com isso. Muitos gastam mais do que podem na compra de um automóvel porque os amigos têm carros de alto padrão (será que eles também não estão atolados em dívidas?). Quero dizer com isso que muitas das decisões que tomamos em relação ao dinheiro decorrem de hábitos, nem sempre saudáveis, que imitamos das pessoas que conhecemos.

Isso seria ótimo se estivéssemos rodeados de milionários. Mas o Brasil é um país de pobres. O mesmo tio que o orienta a comprar a casa própria por segurança pode ser mais um do time de pessoas que sofrerão com a queda do padrão de vida na velhice, dependendo dos filhos para pagar tratamentos de saúde. Se uma velhice com dificuldades financeiras atinge a grande maioria das pessoas, por que seguimos tão fielmente as recomendações de quem não é especialista na construção de riqueza?

A racionalidade do planejamento financeiro torna o processo de educação financeira bastante simples. Na verdade, não me conformo com o fato de essa disciplina não ser obrigatória nas escolas brasileiras. Afinal, a falta de poupança é a origem de muitos problemas nacionais, assim como a falta de crédito e os juros elevados. A construção de uma nação rica depende da capacidade de seus cidadãos de enriquecer. O Brasil é, predominantemente, um país de pobres. Por que, então, não incluir a educação financeira no currículo básico da formação dos cidadãos?

Já que a matéria não é ensinada na escola, em casa os pais devem discutir abertamente com os filhos as decisões sobre dinheiro, investimentos e planejamento para o futuro, explicando, por exemplo: "Estamos abrindo mão de coisas que gostaríamos de ter agora para tê-las no próximo ano, sem atrapalhar nossas contas." A conquista de um luxo deve ser comemorada: "Valeu a pena guardar dinheiro por um ano, pagamos bem menos por esse televisor do que se o financiássemos." Devem também ensinar pelo exemplo. Não adianta exigir dos filhos que guardem dinheiro no cofrinho se os pais não têm também seu cofrinho – mesmo que acumulem menos que os filhos. Não adianta pedir aos filhos que economizem energia elétrica se eles próprios deixam as luzes acesas na casa inteira.

Uma boa oportunidade de estimular nos filhos um bom relacionamento com o dinheiro é levá-los às compras e, diante de um pedido, dar a eles alguns trocados para comprar o que quiserem, deixando claro que não poderão pedir mais nada. Muito provavelmente vocês notarão, surpresos, que o dinheiro dado aos filhos estará intacto no final das compras, talvez guardado para comprar algo mais valioso no futuro. Essa é uma lição financeira fundamental: a de que existe um custo de oportunidade no dinheiro. E eles aprendem sozinhos, sem precisar de calculadora.

Muita atenção à justiça financeira. Na hora de presentear, talvez um dos filhos queira algo que custe menos da metade do presente que o outro deseja: um quer uma bola de borracha e o outro, um carrinho com controle remoto? Evitem tal discrepância, pois, quando ambos crescerem e a noção de valor se tornar mais apurada, tais diferenças poderão criar a impressão de injustiça ou de preferência arbitrária por um dos irmãos. A igualdade de valores percebidos é importante para evitar cobranças inconscientes no futuro.

À primeira vista, pode parecer muito difícil lidar com tantas variáveis. Mas lembrem-se: é uma questão de maus hábitos em relação ao dinheiro. Quanto mais o casal discutir as questões financeiras e o valor intrínseco[23] de bens adquiridos, mais naturais se tornarão suas decisões em termos financeiros. Riqueza é também uma questão de hábito.

A educação financeira dos filhos

Outra forma de incentivar a educação financeira é através de práticas cotidianas, simulações do dia a dia dos adultos. É disso que as crianças gostam. Ensinar finanças com fórmulas de matemática financeira, mecânica dos juros e simulações numéricas traz o risco de cultivar a aversão por finanças na cabeça das crianças.

Por isso, tenham o cuidado de respeitar certa ordem nas ferramentas de ensino que permitem despertar o interesse das crianças. A

---

[23] Valor intrínseco é um conceito econômico que vai além do preço, envolvendo também o benefício que o bem traz a quem o usa. Quanto mais desejado for um bem, maior será seu valor intrínseco.

educação financeira pode começar com jogos que envolvam decisões de compra e acumulação de dinheiro. Um clássico de jogos desse tipo é o Banco Imobiliário.[24] Os pais podem facilitar para os filhos a percepção dos aspectos financeiros do jogo com comentários do tipo: "É igualzinho à vida real" ou "Seu avô ficou muito rico assim, acumulando dinheiro e investindo em imóveis".

O segundo passo na educação financeira seria dar permissão aos filhos para imitar os adultos em situações de escolha e compra com recursos limitados – pedir a ajuda dos filhos, por exemplo, para montar o orçamento de uma festinha de fim de semana ou das próximas férias. A etapa seguinte seria estimular a responsabilidade pessoal. Talvez seja esse o maior objetivo de propor uma mesada aos filhos. Eles aprenderão bastante quando perceberem que seus recursos são escassos.

Finalmente, há a participação da criança – nesse caso já adolescente – nas decisões sobre o orçamento doméstico de toda a família. O acompanhamento mensal dos custos da casa e o monitoramento de algumas contas de poupança para atingir certos objetivos, como uma viagem, proporcionam excelente aprendizado sobre as finanças de uma vida independente. Quando esse ponto for atingido, provavelmente haverá interesse suficiente para frequentar um curso de matemática financeira e planejamento financeiro pessoal.

Os filhos devem conhecer o orçamento da família?

Quando afirmo que é dever dos pais discutir abertamente o tema dinheiro diante dos filhos, é preciso tomar cuidado com dois assuntos delicados: *renda* e *poupança*.

O perigo desses assuntos está na ordem de grandeza dos números. Para uma criança que tem um sorvete como desejo de consu-

---

[24] Versão brasileira do jogo americano Monopoly.

mo, R$ 1,00 é muito dinheiro, e ganhar moedas é uma verdadeira realização. Enquanto essa criança não lidar com padrões de consumo equivalentes aos de um adulto – comprando as próprias roupas, por exemplo –, sua percepção de renda será bastante distorcida. Ela imagina que os pais ganham alguns punhados das moedas que recebe de presente.

Por isso, dizer a uma criança que seu pai ganha, por exemplo, R$ 1.000,00 por mês pode gerar consequências bastante indesejáveis. É uma renda imensa para uma criança – mesmo que esse valor esteja abaixo do mínimo necessário para sustentar uma família de forma digna no Brasil. Em sua inocente percepção, essa é uma fonte infinita de recursos, motivo para perceber seu pai como um grande pão-duro, que tem dinheiro mas não lhe dá presentes. Motivo também de conversa com os colegas, o que pode chegar aos ouvidos de outros pais.

Quando eu era pequeno, imaginava que meu pai ganhava muito dinheiro, afinal tínhamos dois carros e passávamos o Natal com a família toda reunida em nossa casa. Presentes não eram frequentes, mas não faltavam em meu aniversário nem no Natal. Com o tempo, descobri que ele ganhava muito mais do que eu imaginava, mas muito menos do que precisava para oferecer aos filhos o padrão de vida que gostaria. Como ele mantinha esse segredo? Ao fazer a fatídica pergunta de quanto meu pai ganhava, eu ouvia: "É segredo de Estado." Uma resposta definitiva.

Pelas mesmas razões, não se deve discutir sobre a poupança da família nem o planejamento para a independência financeira enquanto a criança não tiver maturidade para entender conceitos como aposentadoria e expectativa de vida. Na verdade, não existem motivos para expor esse assunto aos filhos, para evitar falsas expectativas. O melhor momento para saber que há uma boa herança a receber é quando não se precisa mais dela, ou seja, quando os filhos já estão encaminhados na formação da própria poupança. Antes disso, há grandes chances de destruição do patrimônio familiar.

Outra fonte de interpretações indevidas é o uso de cheques e cartões. Para crianças mal orientadas, fica a impressão de que basta fazer um cheque ou entregar um cartão que se pode comprar qualquer coisa de qualquer valor. Três lições simples evitam esse tipo de problema:

1. Em casa, encontrem uma oportunidade de explicar como funciona o cheque ou o cartão de crédito: "Hoje iremos usar o cheque nas compras porque guardamos um dinheirinho no banco."
2. Na loja, deixem bem claro à criança que estão fazendo um cheque porque têm aquele dinheiro no banco e, quando o lojista apresentar o cheque ao caixa, vai receber o dinheiro que vocês deixaram lá.
3. Quando usarem o cartão, expliquem que vocês têm um acordo com o banco que não permite gastar mais do que certo valor – no caso, o limite de crédito (cujo valor não deve ser revelado). Se a criança perguntar o real valor, digam que é bem menos do que ganham.

Fica então a dúvida: se não é saudável revelar todos os valores aos filhos, como ensinar planejamento financeiro e orçamento doméstico? Sugiro que se aproveitem projetos familiares específicos para pôr em prática a educação financeira, como no exemplo a seguir.

Ao planejar as férias escolares, é possível e recomendável abrir a discussão para todos os membros da família que já conheçam matemática básica. Com alguns meses de antecedência, pode--se criar a expectativa de uma gostosa viagem de férias. Após o levantamento de custos, os pais montam uma relação de quanto gastarão com gasolina e pedágios (ou passagens e pacotes de viagem), alimentação, diversão e, se for o caso, hospedagem. Tenham certeza de que as crianças se interessarão por esses números, afinal são somas grandes para os padrões de consumo delas. Digam quanto pouparão por mês para conseguir os fundos para pagar a viagem. Contem com os juros de uma aplicação para mostrar que guardarão menos do que o necessário, já que o banco pagará uma parte das férias. Aí está uma oportunidade de explicar como os bancos funcionam. Alguns meses depois da primeira aula, montem uma planilha que mostre quanto pouparam e quanto receberam de juros. Festejem juntos a concretização das metas que possibilitaram a viagem.

Com isso, as crianças aprenderão conceitos que, para elas, são tão repulsivos, como juros, orçamento, planejamento e investimentos. E o melhor: sem ter de *estudar* o assunto.

Como lidar com a mesada

Quanto maior for o convívio social de uma criança, maior será a necessidade de um caixa regular para pagar contas diversas. Essa é uma demanda que surge do próprio grupo social da criança: se todos vão juntos ao shopping assistir a um filme no cinema, normalmente o dinheiro do ingresso não é suficiente. Sempre há a compra de alguma guloseima ou de algum acessório da moda. Se seu filho não acompanhar os hábitos do grupo, poderá sentir-se deslocado.

Se não houver convívio social intenso – se a criança, por exemplo, fizer parte de um grupo de atividades frequentes, como um time esportivo ou uma equipe de dança –, a demanda de dinheiro extra não será regular. As prioridades do grupo são outras.

Conceder ou não mesada é uma opção que deve ser discutida, de preferência, entre pais e filhos. Normalmente, a ideia da mesada parte dos filhos, inspirada no exemplo de seus colegas de escola. Uma alternativa é propor aos filhos que peçam os recursos necessários para atender a suas necessidades de consumo. É saudável que, nesse momento, se proponha um limite semanal de valores, discutido de acordo com as necessidades da criança e com a aprovação dos pais a cada compra. Ela estará aprendendo então o conceito de *crédito*.

Com o tempo, essas necessidades passarão a ser mais frequentes, trazendo impactos indesejáveis sobre o orçamento. Nesse momento, os pais podem propor uma mesada para que a criança decida como usar o dinheiro. O novo conceito aprendido é o de *responsabilidade financeira*.

O valor da mesada deve ser debatido com base num orçamento. O ideal é que todos se sentem e discutam o que os filhos gostariam de fazer se tivessem o próprio dinheiro. É necessário mencionar tudo, como guloseimas, refeições fora de casa, acessórios da moda, cinema, passeios com os amigos e compra de revistas e gibis, entre outros gastos. Dependendo do grau de independência que os pais oferecem aos filhos, pode-se incluir também compra de vestuário, custeio de atividades de lazer e decoração do quarto. Feito o orçamento, deve-se negociar um corte desses gastos. A mesada não deve pagar tudo o que os filhos desejam comprar. Eles devem entender que o orçamento é limitado e que os pais também adiam algumas escolhas para obter outras. Se os filhos quiserem comprar guloseimas na escola e os pais puderem arcar com isso, será interessante propor limites – incluir no orçamento três guloseimas por semana, por exemplo.

Será mais fácil orientar os filhos nos aspectos financeiros se a frequência da mesada for maior. Em lugar da mesada, uma "quinzenada" pode ter melhores efeitos, porque a noção de tempo é diferente conforme a idade. Ele demora mais a passar para as crianças. Se elas encontrarem dificuldades no final da quinzena por ter gastado toda a mesada, vão aprender a lição e praticá-la já nos quinze dias seguintes.

A forma como os pais lidam com a mesada pode ser a melhor estratégia de educação financeira. Ela não deve jamais ser utilizada como instrumento punitivo: "Se você não passar de ano, perderá a mesada!" Pelo contrário, deve ser considerada um instrumento de inclusão da criança no planejamento da família: "Não podemos aumentar sua mesada porque esse é o valor que cabe em nosso orçamento, mas, se você tirar boas notas, receberá um bônus quando o papai e a mamãe receberem a gratificação de Natal no trabalho." Ruim quando utilizada como punição, a mesada é ótima como parte de uma recompensa.

Deve-se deixar claro também que a mesada é um recurso para custear as vontades e a socialização da criança. Não é boa prática aumentar a mesada para que a criança compre os próprios livros escolares, por exemplo. Ela entende que os pais são responsáveis por sua educação, já que não foi ela que escolheu entrar na escola. Essa situação pode mudar na faculdade, quando o adolescente provavelmente entender com maior clareza os conceitos de orçamento, planejamento e responsabilidade financeira.

Uma ocasião interessante para mais um ensinamento sobre finanças ocorre quando o filho quer uma roupa, um brinquedo ou um jogo de preço elevado. Ele merece, mas não há nenhuma ocasião especial que justifique um presente. Caso típico em que caberia o uso da mesada, mas o dinheiro que ele tem não é nem de longe suficiente para a compra. Há duas possíveis lições alternativas a ensinar:

Como funciona um empréstimo. Se o preço do objeto desejado for pouco superior à quantia de que a criança dispõe, pode-se propor sua complementação, abatendo-se esse valor da próxima mesada e *incluindo-se obrigatoriamente algum juro pelo empréstimo*. Esse juro deve ser proposto em valores – "Eu lhe empresto R$ 10,00, mas na próxima mesada você receberá R$ 11,00 a menos", por exemplo –, quando as crianças ainda não aprenderam matemática financeira. A criança deve entender que, se precisar usar o dinheiro dos outros, terá de pagar uma taxa por isso. Os juros não devem ser justificados como multa, e sim como um aluguel pago pelo uso do dinheiro que não se possui.

Como poupar. Uma alternativa mais interessante é ensinar a investir. Premiem a perseverança em busca de um objetivo. Digamos que seu filho lhes peça um brinquedo de R$ 50,00.

Proponham a ele que guarde R$ 10,00 por semana, durante quatro semanas, e que vocês completem os outros R$ 10,00 para comprar o brinquedo. Não se esqueçam de explicar que o banco funciona exatamente assim: quando a família quer comprar um carro, guarda dinheiro no banco para pagar menos do que ele vale, já que o banco, ao pagar juros, vai contribuir com o desembolso de parte desse valor.

Dinheiro na adolescência

A adolescência, fase complicada que é, traz novos desafios financeiros aos pais. Essa é a idade em que os filhos gastam mais. Aumentam os preços da mensalidade escolar, do material didático, dos presentes e dos hábitos de lazer. Como a maior necessidade do adolescente é sentir-se parte de um grupo, surgem demandas de maiores gastos relacionados a modas e manias. O adolescente, em sua eterna busca de liberdade, pensa mais em viagens e passeios. Por um capricho da natureza – ou de nossa sociedade –, essa fase de orçamento mais exigente coincide com a época em que os pais começam a considerar a diminuição do ritmo de trabalho. É um drama, pois os conflitos da adolescência colidem com as neuroses da maturidade.

Administrar esses conflitos é um desafio, por isso os pais precisam estar conscientes do que seus filhos precisam. Se a mesada for uma prática, devem rediscutir periodicamente (talvez a cada semestre ou ano) as necessidades dos filhos e estabelecer um valor adequado a suas demandas pessoais. Comecem a preparar seus filhos para a independência. Sugiro que, à medida que buscarem maior autonomia, vocês lhes ofereçam uma mesada mais polpuda, para que eles próprios assumam suas despesas e administrem os gastos com educação, lazer e alimentação fora de casa.

Alguns pais temem confiar recursos aos filhos adolescentes com receio de que cometam loucuras impensadas, como gastar além da conta com hobbies, namoro e baladas. Esse raciocínio está equivocado, pois não é a disponibilidade de dinheiro que leva o jovem a cometer bobagens, e sim a falta de orientação ou de confiança nos pais.

Talvez a oportunidade de dar um voto de confiança ao jovem facilite a travessia da complicada fase da adolescência. Se tiverem condições, os pais poderão garantir casa, comida e estudos, por exemplo. E uma mesada ajudará o jovem a cobrir gastos pessoais, cada vez mais íntimos. A própria busca natural de sonhos maiores de consumo será um incentivo ao jovem para que trace seu plano pessoal de estudos e trabalho.

Poucos são os jovens que não ficam angustiados quando chega o momento de se decidir por uma carreira ou quando se veem obrigados a optar entre trabalho e estudo. As limitações financeiras certamente influenciam essas decisões, nem sempre de forma coerente. É sensato decidir pelo trabalho e adiar por alguns meses ou anos o sonho da formatura quando a família não tem condições de pagar uma faculdade. Essa dolorosa decisão tem até mesmo o aspecto positivo de permitir ao jovem maior amadurecimento. Mas não é coerente a escolha de determinada carreira em detrimento de outra por razões financeiras: "Serei médico porque ganharei mais." Essa é uma grande bobagem. Profissionais medíocres e desmotivados jamais atingem o sucesso em profissões de alto nível. Por outro lado, profissionais apaixonados por seu trabalho fazem com que o sucesso os persiga. A melhor recomendação aos jovens é seguir seu coração, e não o dinheiro, na hora de escolher uma profissão. O dinheiro virá atrás, com certeza.

Crianças e jovens com problemas financeiros

Quando mal utilizado, um bom instrumento de aprendizagem pode gerar efeitos contrários aos esperados. A mesada, além de custear a independência dos filhos, deve servir como experiência para que aprendam a se disciplinar com relação ao dinheiro. Por isso sugeri que, após uma conversa para identificar os planos de gastos semanais dos filhos, haja uma negociação e se proponha um valor para essa mesada um pouco inferior ao que seria considerado ideal pelos filhos. A vida é feita de escolhas, e vocês devem dar a eles a oportunidade de começar a fazer escolhas de consumo em razão de restrições no orçamento.

Uma das lições propostas foi a do empréstimo. Quando o dinheiro da mesada for insuficiente, será um bom ensinamento emprestar dinheiro em troca de juros. Mas, se a criança não entender a desvantagem de pagar juros e começar a entrar no vermelho de forma recorrente, será hora de suspender a prática do empréstimo e mudar a lição.

Uma forma muito simples de aprender a se disciplinar com relação à renda é a utilização de um sistema de envelopes para cada necessidade. Quando perceberem que seu filho tende a ter problemas financeiros frequentes, orientem-no para, no momento em que receber a mesada, dividir o dinheiro em envelopes específicos para cada gasto principal: um envelope para as "baladas", outro para os lanches, outro ainda para a compra de roupas, para a compra de livros e assim por diante.

À medida que usar o dinheiro de cada envelope, o simples fato de perceber que a verba se esgota evitará que o jovem exagere nos gastos, disciplinando-o com relação ao orçamento. Quando o dinheiro de um envelope acabar, isso significa que ele não poderá fazer mais nenhuma despesa específica até o próximo pagamento.

Os resultados são fantásticos. O mesmo mecanismo vale também para desenvolver a disciplina financeira em famílias de baixa renda – menos de dois salários mínimos por membro da família, em minha opinião. No dia do pagamento, todo o dinheiro recebido deve ser dividido em envelopes.

Na medida do possível, um dos envelopes deve ser dedicado ao fundo de reserva para formar uma poupança para o futuro.

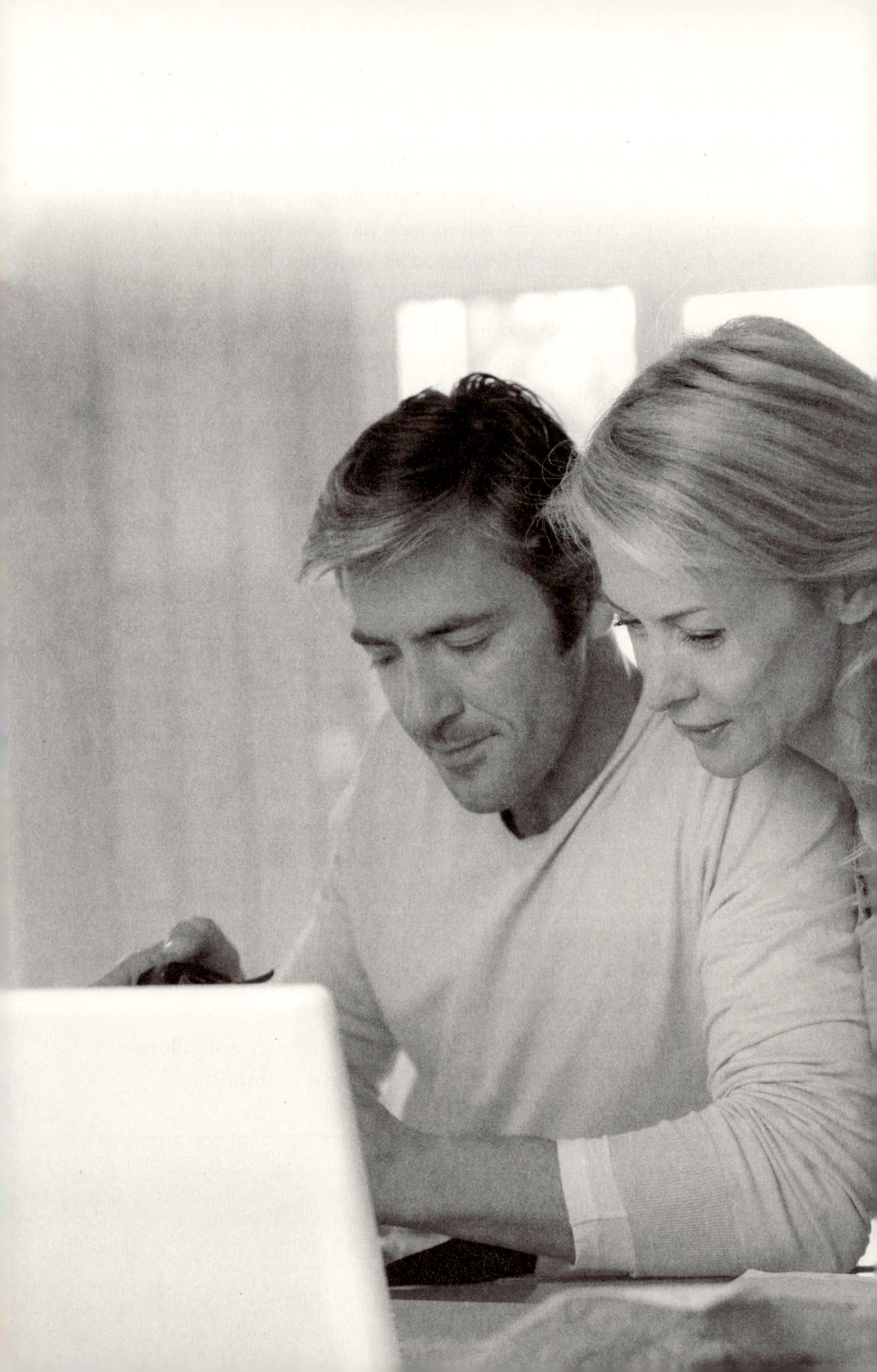

PARTE 3

Um futuro a dois mais rico

CAPÍTULO 6

Cuidando dos imprevistos

O planejamento visa a um futuro mais tranquilo. Mas certamente alguns leitores se perguntarão: "Como pensar no futuro se, no presente, estamos com as contas no vermelho?" Não quero criar a ilusão de que um bom planejamento financeiro eliminará os problemas de sua vida. Imprevistos ocorrem. Pode surgir alguma doença grave na família, um acidente que invalide alguém para o trabalho ou a quebra de contratos do governo em relação à aposentadoria, entre outras coisas. Fiquem à vontade para interromper a leitura e bater na madeira três vezes.

Independentemente do tipo de imprevisto que surgir, estará melhor a família que tiver reservas financeiras. O problema pode exigir a utilização dessas reservas. Em alguns casos, isso fará com que o sonho da independência financeira seja adiado por muitos anos. Mas será uma tranquilidade em meio à tempestade, pois a preocupação da família ficará centrada no problema, e não na falta de dinheiro para custeá-lo.

Cuidado com suas escolhas quando houver necessidade de usar os fundos de reserva. Jamais entrem em dívidas se tiverem recursos poupados. Os juros das dívidas com certeza serão maiores que os juros que vocês deixarão de ganhar ao sacar os investimentos. O mais sensato é usar a poupança e já pensar na maneira de recompô-la nos meses seguintes. Melhor: façam um empréstimo a si mesmos! Vejam como funciona:

Digamos que vocês precisem urgentemente de recursos no valor de R$ 10.000,00 e que esses recursos estejam aplicados em um fundo de investimentos que renda, após descontar o IR, 1% ao mês.

Se vocês tomassem esse dinheiro emprestado do banco (empréstimo pessoal) por dois anos, a juros de 3% ao mês, pagariam 24 parcelas de R$ 590,50, totalizando R$ 14.172,00.

Se deixassem os R$ 10.000,00 aplicados, ganhariam no período R$ 2.697,00, totalizando R$ 12.697,00.

O melhor a fazer, então, é sacar os R$ 10.000,00 da aplicação e pagar para vocês mesmos o valor das prestações que pagariam ao banco. O resultado será fantástico!

O problema ocorre quando não há reservas ou quando as reservas acabam. Nesse caso não há remédio, é hora de recorrer aos financiamentos para evitar soluções dramáticas – como tirar um filho da escola particular, abandonar os estudos ou grandes projetos de vida.

Alternativas de financiamento

Na hora de pedir dinheiro emprestado, há certa hierarquia nas taxas de juros a que vocês precisam atentar. Muitas das alternativas disponíveis devem ser completamente descartadas, pois existem outras melhores. Vejam a escala de possíveis formas de financiamento para pessoas físicas, das mais caras às mais baratas do mercado:

> **Agiotas:** nunca recorram a agiotas para saldar outras dívidas, pois além de pagar os juros mais altos do mercado há o risco de, numa eventual dificuldade de pagamento do empréstimo, submeter-se a práticas criminosas de cobrança – como ameaças

e tomada aleatória de bens. Em geral, as pessoas recorrem a agiotas em duas situações: quando não há alternativas e quando se sentem envergonhadas de negociar seriamente com seu banco. A primeira hipótese só pode ser evitada com planejamento e negociações antes de a bomba estourar. A segunda situação requer a atitude de dar maior valor ao próprio dinheiro e enfrentar os problemas.

Financeiras: são as vilãs legais do mercado financeiro. As taxas praticadas são as mais altas dentre as alternativas de empréstimo, superando as dos cartões de crédito e do cheque especial da maioria das instituições. Não há má-fé nesse nível de taxa de juros, pois as financeiras servem para socorrer pessoas que não têm crédito ou já esgotaram seus limites de crédito. Como esse tipo de público oferece grande risco de inadimplência, as taxas cobradas devem ser maiores para cobrir tal risco. O lado ruim desse segmento é a agressividade comercial, que explora a ingenuidade e a falta de informação de seus clientes. Os empréstimos são vendidos como "dinheiro fácil", sem a apresentação clara dos juros cobrados. Num país como o Brasil, cujo nível de instrução médio é muito baixo, trata-se de verdadeira exploração da ignorância. Muitas das pessoas que hoje utilizam os serviços das financeiras poderiam obter empréstimos a juros mais baixos em seu banco, mas desconhecem esse fato. Sucumbem aos apelos de marketing das financeiras porque são literalmente fisgadas nas calçadas ou na porta de seu local de trabalho. Fujam delas!

Cartões de crédito: a regra número 1 do uso de cartões de crédito é jamais pagar um valor parcial da fatura. Os elevados juros tornam proibitivo seu uso como forma de financiamento. Cartões de crédito são instrumentos de organização financeira, e a grande vantagem de seu uso está na concentração do pagamento das contas logo após o dia do recebimento do salário. Se vocês não têm dinheiro para pagar a fatura do cartão, na pior das hipóteses liguem para o gerente do banco solicitando um empréstimo pessoal. Custará muito menos.

Cheque especial: cuidado com a tentação que seu banco lhe oferece com esse produto. Somos bajulados com cartinhas assinadas pelo diretor do banco, que nos saúda como clientes especiais e assim por diante. Por se tratar de um crédito oferecido a clientes displicentes, que não cuidam bem de seu dinheiro, os juros embutidos são elevados. É um tipo de recurso que não traz ganhos ao banco enquanto não for usado. Quando o usamos, acabamos pagando pelo tempo durante o qual outros clientes deixaram de usá-lo. Todo cliente que tem acesso ao cheque especial é, de certa forma, também especial, pois mantém bom relacionamento com o banco, o que justifica esse crédito. Pela mesma razão, não haverá problemas em obter um empréstimo pessoal, que sempre custará bem menos que o cheque especial.

Crédito direto ao consumidor: o CDC é o tipo de financiamento praticado pelas instituições financeiras através de grandes redes varejistas, como lojas de utilidades e de eletrodomésticos. Vocês já devem estar conscientes de que sou radicalmente contra a compra a prestação, pois os financiamentos só empobrecem as famílias. Quando a compra de um eletrodoméstico, porém, for necessária (a geladeira pifou?) e as alternativas de crédito mais baratas estiverem esgotadas, será melhor negócio entrar em um financiamento do que pagar com cartão de crédito e depois ter de rolar a dívida com juros bem maiores.

Empréstimo pessoal: disponível a todos aqueles que têm conta-corrente em banco. Normalmente, é necessário preencher uma ficha de avaliação para verificar a linha de crédito, que é o limite de recursos que o correntista pode tomar emprestado. Os juros praticados não são baixos, mas são bem menores que os do cheque especial. É uma grande ingenuidade utilizar a linha de crédito do cheque especial quando se pode ter acesso a um empréstimo pessoal pagando cerca da metade dos juros.

As pessoas seguem esse caminho incoerente por duas razões: é preciso pegar o telefone para fazer um empréstimo pessoal (com cheque especial não é necessário fazer nada) e há certa sensação de "intimidação" ao ligar para o gerente e dizer que faltará dinheiro na conta ("Que vergonha confessar ao meu gerente que eu não soube cuidar do meu dinheiro"). Essa é uma grande bobagem, pois a primeira coisa que o gerente do banco vê em seu computador pela manhã é a lista de clientes que começam o dia no vermelho.

Empréstimo cooperativo: certos segmentos profissionais e trabalhadores de algumas empresas reúnem-se em cooperativas de crédito ou bancos cooperativos para obter melhores condições de juros. A grande vantagem de se vincular a uma instituição desse tipo é que o perfil de seus "correntistas" é mais homogêneo, assim como os hábitos de investimento e captação de recursos. Por isso, há menor risco, e os spreads praticados são menores. Quem investe em fundos cooperativos não obtém boa rentabilidade, mas na hora de pedir empréstimo os juros são menores que os praticados nos empréstimos pessoais, pois o objetivo dessas instituições é garantir crédito a preço mais baixo para seus cooperados. Se sua categoria profissional conta com alguma cooperativa de crédito, analise as vantagens das aplicações oferecidas!

Empréstimo trabalhador (vinculado à folha de pagamento): uma forma interessante – ou seja, menos cara – de crédito é o empréstimo vinculado à folha de pagamento, acertado entre bancos e empresas para favorecer os empregados. Os juros praticados dependem muito do porte e do relacionamento bancário da empresa, mas são sempre bastante inferiores aos juros do empréstimo pessoal. O que viabiliza esses juros vantajosos é a garantia que a empresa oferece com o pagamento do salário do funcionário. Quando ele toma emprestado, o banco é autorizado pela empresa a descontar as prestações da dívida diretamente do pagamento mensal do funcionário, não havendo risco de inadimplência. Se o funcionário for demitido, a empresa arcará com a dívida. Como o trabalho de análise do crédito não precisa ser feito (a empresa faz) e como a garantia de recebimento é bem maior, o banco cobra juros bem menores para tais operações.

Antecipação de créditos: a cada ano, existem duas oportunidades de pagar menos juros por dívidas acumuladas – a antecipação da restituição do imposto de renda e a antecipação do décimo terceiro salário. Os bancos oferecem aos trabalhadores a oportunidade de receber esses recursos com um ou dois meses de antecedência e cobram juros por essa antecipação. Como no desconto em folha, os juros são reduzidos, pois há poucas chances de o trabalhador deixar de receber os recursos. Não deixam de ser empréstimos como quaisquer outros e devem ser evitados por aqueles que mantêm as contas em ordem. Mas, para quem está com dívidas mais caras, essa é uma boa chance de pagar parte da outra dívida e assumir um empréstimo mais barato.

Hipoteca de imóvel: quem já possui um imóvel quitado ou com a maior parte do financiamento já pago, conta com um grande trunfo no mercado de crédito. Cresce no Brasil o empréstimo com garantia de imóvel, conhecido também como hipoteca, que, por contar com a garantia da propriedade, permite oferecer ao devedor juros que estão entre os mais baixos entre as modalidades de crédito. O funcionamento é simples: quem precisa do dinheiro aliena o imóvel em nome da instituição que empresta recursos, e voltará a ter a propriedade assim que quitar a dívida. Como ninguém quer correr o risco de perder um imóvel, a hipoteca é uma boa solução quando o empréstimo é tomado para eliminar de vez grandes dívidas, de maneira planejada e sem risco de não se conseguir arcar com as prestações.

Financiamento de automóveis: quitar uma dívida ou pagar a última prestação de um grande financiamento – como o de um automóvel – traz uma sensação deliciosa, um grande alívio. Esse alívio, porém, pode esconder grandes armadilhas se, para quitar o automóvel, a família cometeu pequenos deslizes que deram início à perigosa bola de neve de uma dívida do cheque especial. Ela pode começar com um valor pequeno e tornar-se uma fortuna em poucos meses. A sugestão que dou a muitas famílias endividadas que têm um automóvel já pago é que o vendam para saldar a dívida imediatamente e, se o carro for mesmo imprescindível no dia a dia, que comprem outro, talvez de menor valor, financiado. A estratégia dessa recomendação é pagar juros bem mais baixos, pois o financiamento de automóveis apresenta uma das menores taxas de juros do mercado. Por quê? Simples: o automóvel pertence à financiadora enquanto o cliente não quita as prestações – não há risco de perder o valor financiado.

Após um mês de férias muito especiais e sem nenhuma preocupação na cabeça, Mônica e Cláudio espantaram-se com a conta do cartão de crédito. Totalizava cerca de R$ 3.000,00, praticamente o mesmo valor que tinham em um fundo de reserva. Ufa! Sentiram-se aliviados em retomar o ritmo de trabalho sem dívidas! Mas surgiram imprevistos: fragilizado pela alimentação diferente nas férias, Cláudio caiu de cama por alguns dias. Ele tinha plano de saúde, mas alguns exames e medicamentos não estavam cobertos. Para piorar, dias depois o casal recebeu pelo correio quatro multas por excesso de velocidade, cometidas no período de férias. O tamanho do rombo com os dois imprevistos: R$ 4.000,00. O casal possuía bom crédito, o que garantia um empréstimo pessoal a juros de 4% ao mês. O gerente do banco apresentou a proposta de empréstimo, sugerindo pagar os R$ 4.000,00 em vinte parcelas de R$ 294,33. Não parecia muito, mas Mônica sugeriu um caminho melhor: vender seu automóvel, um sedã com três anos de uso que *valia R$ 20.000,00, e comprar outro de preço um pouco inferior, R$ 19.000,00. Foi o que fizeram. Usaram o dinheiro recebido da venda da seguinte forma:*

Pagamento das contas imprevistas	*R$ 4.000,00*
Entrada do novo automóvel	*R$ 15.000,00*
Documentos e licenças	*R$ 1.000,00*
Total	*R$ 20.000,00*

Os outros R$ 4.000,00 do preço do automóvel foram financiados em vinte meses, a juros de 1,12% ao mês, resultando em vinte parcelas de R$ 224,34. Comparem com o valor das parcelas do empréstimo oferecido pelo banco e percebam a grande sacada: além de economizar R$ 70,00 por mês em juros, Cláudio e Mônica saíram de carro novo!

Financiamento imobiliário: cada vírgula do que afirmo com relação aos financiamentos de automóvel vale para a casa própria. Estão com dívidas até o último fio de cabelo e o valor do carro não paga nem a metade dessas dívidas? Que tal vender a casa? Esta última pergunta pode parecer um sacrilégio em nossa cultura, na qual o sonho da classe média é justamente a casa própria. Mas leiam a história a seguir e tirem suas conclusões.

Paulo e Érica começaram a vida a dois como muitos casais sonham: uma bela festa de casamento, apartamento mobiliado e quitado com a ajuda de pais e padrinhos, lua de mel em uma paradisíaca praia do Nordeste e nenhuma dívida significativa. Mas o destino pregou uma peça nos dois. Após seis anos prestando serviços para uma empresa que lhe proporcionara boa renda, bonificações significativas e crescimento na carreira, a organização fechou as portas e Paulo ficou sem emprego.
Não parecia um grande drama, afinal ele mostrara competência em sua função. Por ser prestador de serviços, não tinha inde-

nização a receber, mas, como guardavam dinheiro todo mês, tinham poupança suficiente para manter o lar durante pelo menos seis meses. Mas o tempo passou e as oportunidades não apareceram. As contas não eram altas, mas consumiam rapidamente a poupança. A renda de Érica não ajudava muito, pois ainda estava na faculdade e recebia uma bolsa-estágio que mal cobria os gastos com os livros do curso.

Oito meses depois, nada de emprego para Paulo. Não havia mais poupança e as *dívidas do cheque especial já somavam R$ 5.000,00, crescendo a juros de 8% ao mês.* Foi preciso tomar uma decisão rápida: ou Érica trancava a matrícula ou eles teriam de se desfazer de algo de valor. A decisão foi sensata: vender o apartamento – a tão sonhada casa própria estava por escapar entre os dedos. Dos R$ 120.000,00 que receberam, usaram R$ 10.000,00 para quitar imediatamente as dívidas e pagar a mudança para um apartamento menor, alugado por R$ 600,00 mensais. Os R$ 110.000,00 restantes foram aplicados em um fundo multimercado que rendia, sem descontar a inflação, cerca de 0,9% ao mês (R$ 990,00).

Quando Paulo finalmente conseguiu emprego, onze meses após a saída da empresa anterior, a poupança estava reduzida a cerca de R$ 100.000,00. Um ano depois, as contas estavam em dia, o plano de guardar dinheiro mensalmente fora retomado e a poupança acumulada somava R$ 128.000,00. Se não vendessem o apartamento, provavelmente teriam recorrido a financeiras, cartões de crédito ou até mesmo a empréstimos pessoais, mas encontrariam dificuldades para pagar essas dívidas por muitos meses, talvez anos. Mesmo com recursos suficientes para comprar um imóvel novo, resolveram continuar no apartamento alugado. Afinal, se o dinheiro do fundo multimercado rendia praticamente R$ 1.000,00 por mês, por que abrir mão disso em troca de um aluguel de R$ 600,00?

Empréstimo familiar: é o nome técnico dos famosos "empréstimos de pai para filho", que nem sempre ocorrem entre pais e filhos – podem ser feitos entre amigos ou parentes. Uma alternativa talvez bem mais econômica quando o dinheiro falta é recorrer a alguma pessoa próxima, com quem se tenha um relacionamento de confiança mútua. Os ditos populares recomendam distância entre família e negócios, assim essa é uma alternativa disponível a poucos. Quando mal discutido, o empréstimo familiar pode tornar-se uma bomba-relógio prestes a detonar conflitos entre o casal e seus parentes. Mas, quando bem negociado e, principalmente, bem documentado, o empréstimo familiar é um excelente negócio para as partes envolvidas. Um parente ou amigo próximo pode criar vantagem tanto para si próprio quanto para aquele que precisa de dinheiro se tiver alguma poupança disponível para emprestar. Se forem praticados juros de mercado, isto é, se a taxa negociada para o empréstimo for a mesma do CDI, se criará uma situação em que os juros pagos serão mais baixos que a maioria das alternativas de mercado ao mesmo tempo que, para quem recebe, esses juros serão superiores à maioria das alternativas de investimento disponíveis. Lembrem-se de que, se receberem o empréstimo, deve partir de vocês a proposta de documentar a operação com um contrato, mesmo que bem simples. Essa atitude será tão gentil quanto a oferta do dinheiro feita por seu conhecido. Outra atitude que ajudará a preservar o bom relacionamento é manter contato frequente, lembrando que vocês estão tomando os devidos cuidados para pagar o empréstimo conforme prometeram.

Agora confiram o montante que vocês estariam devendo após um período de doze meses, em cada uma das alternativas escolhidas, se pedissem um empréstimo ou entrassem em um financiamento de R$ 1.000,00:

Tipo de crédito	Juros médios mensais praticados*	Valor da dívida após 12 meses
Cartões de crédito	12,81%	R$ 4.247,87
Financeiras	10,15%	R$ 3.190,17
Cheque especial	8,47%	R$ 2.652,87
Empréstimo pessoal	3,74%	R$ 1.553,66
Empréstimo cooperativo	2,37%	R$ 1.324,56
Empréstimo consignado	1,98%	R$ 1.265,26
Financiamento de autos	1,92%	R$ 1.256,36
Financiamento imobiliário	1,16%	R$ 1.148,43
Empréstimo familiar (CDI)	0,7%	R$ 1.087,31

* Em julho de 2012. Fonte: Ipead/UFMG, na internet em www.ipead.face.ufmg.br.

Deixo bem claro que, apesar das diversas alternativas de "dinheiro na mão", não estou afirmando que os financiamentos são bons negócios. Ao comprar um carro financiado, Cláudio e Mônica se deram bem porque deixaram de gastar R$ 70,00 por mês em juros, economia de R$ 1.400,00 em vinte meses. Mas as prestações de R$ 224,34 somam R$ 4.486,80, um gasto total de R$ 486,80 somente em juros. O ideal é fugir dos financiamentos, que empobrecem as famílias. Quando não houver alternativa, deve-se optar pelo mais barato – sempre. Uma das estratégias fundamentais de redução do pagamento de juros é a substituição de dívidas. Sempre que puderem, peçam dinheiro emprestado a juros mais baixos para quitar – total ou parcialmente – dívidas mais caras. Muita gente faz exatamente o contrário: recorre a agiotas e a financeiras (mais caros) para "limpar a ficha" no banco (mais barato). Esse é um erro grave. O receio de assumir "mais uma dívida" é bobagem, pois duas dívidas de 10 são a mesma coisa que uma dívida de 20. Se vocês puderem pagar menos juros em parte de suas dívidas, mãos à obra!

Recorrendo a fiadores

Um costume que geralmente cria muitos problemas de relacionamento entre o casal e seus familiares é recorrer a fiadores para garantir operações de empréstimo ou financiamento. Essa situação, além de desagradável para quem é "convidado", traz embutido um risco significativo. Quando o banco ou a financeira nos solicita um fiador, isso significa que não temos recursos nem posses suficientes para garantir o pagamento da dívida. A instituição financeira, portanto, identificou risco de inadimplência.

O fiador é a pessoa que irá neutralizar esse risco, oferecendo, mesmo sem saber, seus bens como garantia da operação. Uma vez que a operação entre o banco e o devedor é de crédito – o termo vem do latim, de *confiança* –, o banco está impedido por lei de obrigar o devedor a pagar. Ele pagará se tiver condições, e o banco não poderá tirá-lo da casa própria para quitar a dívida. Se o cliente não pagar, a culpa será do banco, que não soube avaliar o risco de crédito da operação.

Já no caso do fiador, não há operação de crédito, e sim um compromisso de pagamento. Se o fiador não tiver recursos para pagar a dívida de seu amigo da onça, poderá ser até mesmo compelido a entregar ao banco sua casa para quitar o compromisso assumido e não cumprido pelo outro. Não há equilíbrio de condições.

Como em geral se recorre a pessoas muito próximas – pais e sogros ou irmãos e cunhados – para esse tipo de favor, quando a bomba estoura o efeito ocorre dentro do próprio lar. Problemas financeiros do casal acabam afetando, até com maior gravidade, o restante da família. Por isso o uso de fiadores deve ser evitado. Existem seguros-fiança e títulos de capitalização, oferecidos geralmente pela própria instituição de crédito, que se prestam ao mesmo papel do fiador. Paga-se juros um pouco mais elevados para que o risco de inadimplência seja coberto por uma receita extra da operação. Esse é o custo:

- Da falta de crédito.
- Da falta de planejamento (por que comprar sem ter recursos?).
- Da garantia do bem-estar familiar.

CAPÍTULO 7

Investimentos: a busca da melhor opção

Investir é o caminho da garantia ou da melhora no futuro daquilo que se construiu até hoje. É possível alcançar um padrão de vida bastante superior ao que temos hoje se usarmos quatro ingredientes fundamentais: tempo, dinheiro, decisões inteligentes e juros compostos. **Tempo** e **dinheiro** são os elementos básicos da receita. Quanto mais vocês tiverem um deles, menos precisarão do outro.

Se vocês decidiram aplicar o dinheiro poupado em um investimento que rende 1% ao mês, vejam alguns possíveis caminhos de formação de uma poupança de R$ 100.000,00 nesse fundo:

Se hoje vocês têm	Acumularão R$ 100.000,00 após
R$ 1.000,00	38 anos e 7 meses
R$ 5.000,00	25 anos e 1 mês
R$ 10.000,00	19 anos e 3 meses
R$ 20.000,00	13 anos e 6 meses
R$ 50.000,00	5 anos e 10 meses

O terceiro ingrediente de nossa receita, **decisões inteligentes**, deve ser selecionado com muito cuidado. Ao longo do tempo, a propensão do casal a aceitar riscos em seus investimentos será menor. Esse é mais um motivo para começar cedo e aproveitar oportunidades de investimento de melhor resultado no longo prazo. Vejam como a tabela anterior muda se, em vez de 1% ao mês, vocês escolherem um investimento que pague 1,2% ao mês:

Se hoje vocês têm	Acumularão R$ 100.000,00 após
R$ 1.000,00	32 anos e 2 meses
R$ 5.000,00	20 anos e 11 meses
R$ 10.000,00	16 anos e 1 mês
R$ 20.000,00	11 anos e 3 meses
R$ 50.000,00	4 anos e 10 meses

Percebam que uma diferença aparentemente pequena pode representar anos a mais para se aposentar! Tomar decisões inteligentes significa tomar decisões bem embasadas, com conhecimento do assunto. Fugir das "dicas de Fulano", procurar entender o funcionamento da alternativa de investimento que vocês escolherem. Não basta perceber que um CDB pode ser um investimento melhor que a caderneta de poupança, é preciso entender que o CDB é a aplicação em um título do banco, que cada banco determina a taxa a pagar por seu CDB de acordo com o nível de relacionamento com seus clientes e que, com alguma negociação, é possível conseguir taxas melhores. É preciso comparar também as taxas dos CDBs oferecidos por diversos bancos. Se seu banco não alcançar a taxa que o banco vizinho lhes oferece, invistam neste último!

Decisões inteligentes são tomadas quando o investidor sabe em que está aplicando, que riscos o investimento oferece, que situações geram ganhos e quais geram perdas e, principalmente, quais são as alternativas mais rentáveis do mercado para o tipo de investimento escolhido. Os cadernos de finanças dos grandes jornais – sim, aqueles cadernos com páginas repletas de números bem pequenos que vocês nem sequer examinam – trazem comparações diárias entre os diversos investimentos oferecidos por diferentes bancos do mercado. Definições dos tipos de investimento – prefixados ou pós-fixados, renda fixa ou variável, multimercados, balanceados, hedge, FIF, FAQ e outros – são encontradas em diversos sites de finanças pessoais da internet. Em meu livro *Investimentos inteligentes* (Editora Sextante, 2013) explico e detalho estratégias práticas para diversos tipos de investimento.

O importante é investir naquilo que se conhece. Talvez a caderneta de poupança seja uma alternativa razoável para começar a poupar, mas somente enquanto vocês não entenderem o funcionamento de um fundo de investimentos ou de investimento em títulos públicos. Busquem a informação, ela não custa quase nada! Se vocês não se sentem bem em investir numa instituição financeira, existem outras opções. Mesmo no mercado imobiliário, só ganha dinheiro quem tem informação, quem conhece o mercado e aproveita as oportunidades, os bons momentos de compra e venda. Quem não se informa não toma decisões inteligentes.

Finalmente, o ingrediente que, quanto mais intenso, mais poderá gerar efeitos impressionantes sobre sua riqueza: **juros compostos**. Definindo de forma simples, juros compostos são obtidos quando é possível reinvestir os juros ganhos em uma aplicação, gerando em cada período renda sobre o dinheiro que se investiu e também sobre os juros que se acumularam até então. O efeito dessa acumulação é muito interessante quando se dispõe de um prazo longo ou de juros mais altos. Vejam o que acontece com R$ 1.000,00 quando aplicados por dez anos a diferentes taxas de juros:

Taxa de juros mensal	Poupança formada
1,00%	R$ 3.300,39
1,10%	R$ 3.716,54

continua

1,25%	R$ 4.440,21
1,50%	R$ 5.969,32
2,00%	R$ 10.765,16
5,00%	R$ 348.911,99
10,00%	R$ 92.709.068,82

Percebam que o dobro de rendimento não forma o dobro de poupança, e sim muito mais que isso. É o fantástico efeito exponencial que proporciona uma aceleração incrível dos ganhos.

Ao contrário do que muitos pensam, juros compostos são obtidos em qualquer tipo de investimento, não apenas naqueles que os bancos oferecem. Vejam a seguir um exemplo de investimento em imóveis.

O que não são juros compostos: comprar um imóvel e alugá-lo. Isso não é investir em imóveis, e sim restringir seus ganhos. A renda obtida pelo aluguel não pode ser usada para comprar mais imóveis, por isso grande parte dela é geralmente gasta. Se vocês comprarem um imóvel de R$ 50.000,00 e o alugarem, não ganharão mais que 0,8% do valor do imóvel (R$ 400,00) por mês. E sempre continuarão ganhando esse valor, apenas corrigido pela inflação. Sua riqueza não crescerá.

O que são juros compostos: aproveitar oportunidades de compra para gerar lucros e então usar a receita dos lucros para buscar novas oportunidades. Isso é possível com qualquer bem negociável, inclusive imóveis.

O grande exemplo que tenho de juros compostos com imóveis é o de um ex-aluno meu, José Renato. Certo dia ele chegou à aula – a disciplina era Mercado Financeiro – contando à turma seu sucesso no investimento em imóveis. Um ano antes, ele retirara R$ 50.000,00 de um bom fundo de ações para aproveitar uma ótima oportunidade. Um corretor amigo de seu pai lhe oferecera, por aquele valor, uma casa de cerca de R$ 70.000,00. O vendedor tinha urgência, não havia muito tempo para decidir. Ele comprou o imóvel e imediatamente o pôs à venda, mas sem a pressa do proprietário anterior. Vendeu-o três meses depois por R$ 65.000,00[25] e aplicou o dinheiro de volta no fundo de ações. Dois meses depois, o fundo não gerara bons resultados, o que levou José Renato a procurar o corretor que lhe negociara o imóvel na compra e na venda. Um mês depois, nova oportunidade: os R$ 65.000,00 compraram um pequeno apartamento que foi revendido quatro meses depois por R$ 75.000,00.

Entusiasmado com os resultados, José Renato se engajou em uma forte caça às oportunidades. No dia em que ele contava seu caso, acabara de adquirir de um herdeiro incauto, com seus R$ 75.000,00, uma casa bem conservada, avaliada pelo corretor em R$ 90.000,00. Não sei quanto tempo depois ele vendeu a casa. Mas sua estratégia é digna de ser citada como exemplo de bom uso de juros compostos, pois José Renato transformara R$ 50.000,00 em R$ 90.000,00 em apenas doze meses – uma rentabilidade acumulada de 80% em um ano!

O cultivo de bons contatos com corretores trará maiores oportunidades de aproveitar as barganhas do mercado imobiliário. É comum encontrar imóveis a preços bem abaixo do mercado, geralmente vendidos por pessoas impacientes, como herdeiros desinformados e gente com problemas financeiros ou necessidade de mudança urgente. Com um pouco de paciência, é possível realizar margens bem superiores às que vocês obteriam no mercado financeiro. Basta ter interesse e procurar a informação que abrirá as portas para as oportunidades.

---

[25] Já descontados impostos e custos.

Vocês é que devem decidir-se pelo melhor investimento para seu caso com base no acesso a informações ou no prazer que terão em administrar a aplicação escolhida. Muitos não suportam entrar em uma imobiliária.

Outros não se sentem bem em confiar seus recursos aos bancos. São escolhas pessoais, que trarão tanto mais riqueza quanto maior for o interesse do investidor por informação.

Quanto poupar por mês

Quer vocês optem pelo investimento em imóveis, quer optem por qualquer outro ativo negociável, será necessário juntar uma primeira bolada de recursos e depois partir para o investimento escolhido. Dificilmente encontrarão alternativas de poupança mais práticas do que através de investimentos em uma instituição financeira. Precisarão de algum tempo e de certa disciplina. Se não puserem um plano em prática, provavelmente demorarão mais para atingir seus objetivos. Há dois caminhos mais amplamente utilizados por poupadores para alcançar um objetivo de investimentos: o do valor mensal e o do percentual mensal.

O caminho do valor mensal. Vocês determinam uma meta de poupança a ser formada, estabelecem um prazo e, com base na rentabilidade obtida nos investimentos, chegam ao valor mensal a ser poupado. Baseada nesse valor, a missão de vocês será "espremer" o orçamento doméstico todo mês para que a quantia proposta para a poupança realmente sobre na conta.

Os cálculos de montagem dessa estratégia podem ser aprendidos em qualquer curso de matemática financeira. Para simplificar o trabalho e economizar o tempo de vocês, preparei uma tabela bastante prática que fornece o valor mensal a ser poupado para obter uma reserva de R$ 100.000,00.

Seu uso é muito simples. Vejam o número assinalado na tabela a seguir. Se vocês obtêm hoje 0,65% ao mês de rentabilidade líquida e desejam formar uma reserva de R$ 100.000,00 daqui a vinte anos, precisam poupar todo mês R$ 174,04 nesse mesmo investimento. Se a meta não for de R$ 100.000,00, e sim de R$ 200.000,00, será preciso poupar exatamente o dobro, ou seja, R$ 348,08. Se vocês têm pressa e não querem esperar vinte anos, mas apenas dez, precisam aplicar R$ 552,73 por mês no mesmo investimento.

Prazo em anos	5	10	15	20	25	30	35	40
Taxa de juros/mês								
0,30%	1.523,66	693,55	419,80	285,11	206,00	154,65	119,11	93,41
0,35%	1.500,69	671,98	399,75	266,57	188,94	139,02	104,85	80,46
0,40%	1.477,97	650,91	380,41	248,96	173,00	124,67	92,00	69,03
0,45%	1.455,50	630,31	361,79	232,25	158,13	111,53	80,48	58,98
0,50%	1.433,28	610,21	343,86	216,43	144,30	99,55	70,19	50,21
0,55%	1.411,30	590,57	326,61	201,47	131,47	88,66	61,04	42,60
0,60%	1.389,57	571,42	310,05	187,35	119,59	78,79	52,93	36,01
0,65%	1.368,08	552,73	294,14	174,04	108,61	69,87	45,78	30,35
0,70%	1.346,84	534,52	278,89	161,50	98,50	61,84	39,50	25,50
0,75%	1.325,84	516,76	264,27	149,73	89,20	54,62	33,99	21,36
0,80%	1.305,08	499,46	250,27	138,67	80,66	48,16	29,19	17,85
0,85%	1.284,56	482,61	236,87	128,31	72,84	42,39	25,01	14,88
0,90%	1.264,28	466,20	224,07	118,61	65,69	37,24	21,39	12,37
0,95%	1.244,24	450,24	211,84	109,55	59,17	32,67	18,25	10,26
1,00%	1.224,44	434,71	200,17	101,09	53,22	28,61	15,55	8,50

Dois cuidados são imprescindíveis para o sucesso do plano:
1. Saber qual é a rentabilidade de seu investimento: a tabela funciona com rentabilidade líquida, ou seja, após o pagamento

do imposto de renda e o desconto da inflação. Verifiquem se a rentabilidade do investimento que aparece em seu extrato bancário inclui ou não o imposto de renda pago. Depois de abater o IR, vocês devem subtrair a inflação mensal usando os índices mais comuns do mercado (IGP-M ou INPC) ou um índice próprio de inflação, baseado na variação de seus custos fixos mensais.

2. Corrigir o valor mensal pela inflação: nunca se esqueçam de corrigir periodicamente pela inflação o valor mensal a ser poupado. Se isso não for feito, o dinheiro acumulado no futuro será aquele que vocês projetaram, mas a capacidade de compra dele – isto é, seu *valor* – será bem menor. A mesma inflação que vocês usam para "limpar" sua taxa de juros deve ser usada para aumentar o valor mensal a ser poupado.

Entendam a aplicação desses dois ajustes pelo exemplo a seguir:

Vocês decidem iniciar um projeto de aposentadoria para formar uma poupança de R$ 500.000,00 daqui a 25 anos. O fundo balanceado de vocês vem apresentando rentabilidade média de 1,2% ao mês após o desconto de impostos, mas antes de descontar a inflação mensal. Com base em uma inflação média de 0,5% ao mês, vocês concluem que a rentabilidade líquida do fundo é de 0,7% ao mês (resultante da rentabilidade média menos a inflação, ou seja, 1,2% – 0,5% = 0,7%). Pela tabela, precisariam aplicar R$ 98,50 mensalmente para obter, daqui a 25 anos, uma poupança de R$ 100.000,00 em seu fundo de investimentos. Como desejam R$ 500.000,00, precisarão poupar cinco vezes o número obtido na tabela, ou seja, R$ 492,50. Esse é o valor que vocês decidem poupar a partir de hoje, e o fazem no primeiro dia do plano. Daqui a um mês, o valor terá de ser corrigido pela inflação. Supondo-se que esta seja de 0,5%, o valor a ser poupado será 0,5% maior que o do mês *anterior, ou seja, R$ 494,96. Mantido esse cuidado, daqui a 25 anos vocês terão uma quantia suficiente para comprar o mesmo que R$ 500.000,00 compram hoje. Se a rentabilidade do fundo se mantiver em 0,7%, vocês terão uma renda garantida de 0,7% de R$ 500.000,00, ou R$ 3.500,00 limpinhos por mês.*

O caminho do percentual mensal. Vocês determinam um percentual da renda mensal a ser poupado, sem prazo definido, até que atinjam a meta de recursos acumulados nos investimentos. Esse caminho é mais utilizado por profissionais que têm renda mensal bastante variada, como vendedores comissionados, profissionais liberais e autônomos.

Diversos livros de planejamento financeiro pessoal dizem que é preciso poupar certo percentual da renda, algo entre 10% e 15% do que se ganha todo mês. Sou contra trabalhar com números predefinidos, pois cada casal terá limitações, prazos e sonhos próprios. Um casal na faixa dos 50 anos de idade por certo não pretende esperar mais oitenta anos para se tornar financeiramente independente. Um casal jovem e sem filhos muitas vezes cria condições de poupar um percentual bastante significativo de sua renda. Um exemplo disso é um casal de amigos meus muito queridos, ambos com menos de 30 anos, sem filhos, que mora em um apartamento modesto mas confortável, tem um carro popular na garagem e muita disciplina em relação a férias. Eles conseguem poupar mensalmente cerca de 60% dos R$ 10.000,00 que ganham. Exagero? Não, quando a meta é conquistar a independência financeira em apenas mais cinco anos.

A tabela da página ao lado mostra o percentual de renda que é preciso poupar, sabendo-se o prazo e os juros líquidos obtidos nos investimentos, para que, após esse período, a poupança total acumulada passe a gerar renda igual à que se tem hoje.

Percebam novamente a importância das decisões inteligentes, das boas escolhas na hora de selecionar seus investimentos. Se vocês se permitirem vinte anos de poupança para a aposentadoria, esta poderá custar 95% de tudo o que ganham se o dinheiro for mal investido (a 0,30% ao mês) ou apenas 10,11% de sua renda se, de forma agressiva e com boa pesquisa, vocês conseguirem 1% ao mês de rentabilidade.

Prazo em anos	10	15	20	25	30	35	40
Taxa de juros/mês							
0,30%			95,00%	68,70%	51,50%	39,70%	31,10%
0,35%			76,10%	54,00%	39,70%	30,00%	22,99%
0,40%		95,10%	62,24%	43,25%	31,17%	23,00%	17,26%
0,45%		80,40%	51,61%	35,14%	24,79%	17,89%	13,11%
0,50%		68,77%	43,29%	28,86%	19,91%	14,04%	10,04%
0,55%		59,38%	36,63%	23,90%	16,12%	11,10%	7,75%
0,60%	95,24%	51,67%	31,23%	19,93%	13,13%	8,82%	6,00%
0,65%	85,04%	45,25%	26,78%	16,71%	10,75%	7,04%	4,67%
0,70%	76,36%	39,84%	23,07%	14,07%	8,83%	5,64%	3,64%
0,75%	68,90%	35,24%	19,96%	11,89%	7,28%	4,53%	2,85%
0,80%	62,43%	31,28%	17,33%	10,08%	6,02%	3,65%	2,23%
0,85%	56,78%	27,87%	15,10%	8,57%	4,99%	2,94%	1,75%
0,90%	51,80%	24,90%	13,18%	7,30%	4,14%	2,38%	1,38%
0,95%	47,39%	22,30%	11,53%	6,23%	3,44%	1,92%	1,08%
1,00%	43,47%	20,02%	10,11%	5,32%	2,86%	1,56%	0,85%

A tabela supõe, de forma simplificada, que vocês tenham sempre a mesma renda, consigam a mesma taxa de juros nos investimentos e que, ao se aposentarem, melhorem o seu padrão de vida, passando a usufruir os recursos antes utilizados para formar a poupança. Mas seu uso é simples. Vejam pelo exemplo assinalado e acompanhem o raciocínio:

> *Digamos que vocês tenham hoje uma renda de R$ 2.000,00 por mês, pretendam poupar recursos durante trinta anos e consigam no banco juros líquidos de 0,65% ao mês. O objetivo é aposentar-se e manter o atual padrão de renda.*
>
> *Pela tabela, vocês têm de poupar 10,75% do que ganham hoje, ou seja, R$ 215,00 por mês. Põem o plano em prática, começam a investir mensalmente o valor proposto, corrigindo-o pela inflação. Após trinta anos, terão acumulado uma massa crítica equivalente a R$ 307.712,12 em valores de hoje.*
>
> *Assim que completarem os trinta anos de poupança, será hora de abrir um champanhe, pois, se sua aplicação render os mesmos 0,65% mensais de juros, os ganhos sobre os R$ 307.712,12 serão de R$ 2.000,12. Portanto, seu patrimônio pessoal estará gerando a renda que vocês precisam para viver. Daí em diante, trabalho, somente por prazer!*

Quem pode ajudar

Refiro-me com frequência a bancos e outras instituições financeiras como o caminho para a construção da riqueza porque têm como objetivo a intermediação financeira. Os bancos tomam dinheiro emprestado de vocês – quando aplicam seu dinheiro a determinada taxa de juros – para poder emprestar a terceiros o dinheiro a eles confiado – quando vocês recebem um empréstimo a taxas de juros mais elevadas.

Saber usar bem um banco pode mudar completamente sua visão desse tipo de instituição. Os bancos serão os vilões da vida daqueles que aplicam seu dinheiro a juros baixos – comprando títulos de capitalização como se fossem investimento ou aplicando na caderneta de poupança, por exemplo – ou que, ao precisar de dinheiro, recorrem a alternativas escandalosamente caras, como o cheque especial. Os bancos não exploram o bolso de seus clientes. Talvez explorem sua ingenuidade, pois o mesmo banco que oferece um cheque especial também disponibiliza empréstimos pessoais. O mesmo gerente que tenta empurrar ao cliente um título de capitalização não lhe pode negar a oportunidade de investir em um fundo de ações ou no Tesouro Direto.

É como entrar em uma loja de automóveis. O vendedor tentará convencê-los a comprar aquele "mico" encalhado, em geral exposto bem na frente da loja. Se vocês forem razoavelmente críticos, perceberão que esse pode ser um mau negócio e analisarão alternativas que o vendedor guarda para os clientes mais especiais.

Vocês podem escolher não investir em bancos, mas, em algum momento de sua estratégia de investimento, o dinheiro passará por essas instituições. Após receber o pagamento de um grande negócio, não poderão manter o dinheiro parado esperando nova oportunidade de compra. Se vocês não conhecerem as melhores alternativas de investimento, perderão a chance de dar uma boa "fermentada" em seus recursos.

Corretoras de valores. Alguns investidores com mais experiência nem sequer deixam seus recursos em bancos. Investidores em ações recorrem a corretoras de valores para ajudá-los a analisar as melhores alternativas e para intermediar compras e vendas. Estão sempre de olho em ações de sua carteira de investimentos que apresentam risco, compradas em razão de um bom potencial de ganhos, e prontos para vendê-las. Depois de vendê-las, usam os recursos para comprar ações de empresas mais sólidas, porém um pouco menos rentáveis, pois não trazem grandes surpresas quando publicam seus resultados.

Estas últimas, as chamadas ações *blue chips*, são aquelas que no longo prazo apresentam rentabilidades muito interessantes, recompensando a paciência de seus investidores. As ações mais arriscadas são aquelas que podem trazer ganhos bem maiores, mas também grandes perdas. Os investidores acabam gerando lucros em compras e vendas diárias dessas ações, ou seja, especulando sobre o que o mercado acredita que pode acontecer com os resultados dessas empresas. É um investimento para poucos.

Ações podem ser a alternativa de crescimento mais rápido para aqueles que aceitarem correr riscos. Por outro lado, podem também arruinar um futuro de sonhos se vocês investirem sem nenhum conhecimento ou com risco excessivo. Algumas regras que devem seguir para investir em ativos mais arriscados:

- Nunca ponham todos os ovos em uma única cesta. Em outras palavras, diversifiquem seus investimentos assim que puderem. A concentração é importante apenas para conseguir acesso aos melhores fundos. Depois disso, procurem estudar e entender novas alternativas.
- Não invistam em ações recursos que podem fazer falta no curto ou no médio prazo.
- Consultem sempre um especialista antes de comprar ou vender ativos de risco. Se vocês não se sentem bem atendidos por sua corretora, partam para outra. Nunca comprem uma ação porque "ouviram dizer" que havia uma oportunidade. As melhores corretoras oferecem análises precisas das ações mais negociadas.
- A regra número 1 também vale para um caso específico. Resolveram investir parte de seu dinheiro (alguns de seus ovos) em ações? Nunca comprem apenas de uma empresa. Com a orientação de seu corretor, comprem ações de empresas diferentes que tendam a se equilibrar – quando a ação de uma cai, a outra sobe. Nem todas as empresas sobreviverão no longo prazo.

Consultores financeiros. Hoje em dia, bons consultores financeiros são capazes de orientá-los na composição ideal de sua carteira de investimentos. Saber quanto investir em ativos de risco e em ativos mais seguros – e menos rentáveis – não é complicado, mas depende muito do perfil do casal. Mais risco ou mais segurança? Isso vai depender de sua tolerância a perdas e do prazo disponível para enriquecer. Sugiro que, para acelerar o processo de formação de riqueza, parte de seus recursos seja investida em boas ações, a não ser que vocês tenham encontrado alternativa melhor.

Sua estratégia de investimento

Diferentes fases da vida propiciam níveis distintos de propensão ao risco e diversos horizontes de necessidade de recursos. As dicas a seguir podem fazer toda a diferença em sua estratégia de investimento:

Solteiros: para aqueles que ainda vivem com os pais, o fato de não ter grandes compromissos fixos de gastos mensais pode mostrar-se uma grande oportunidade. Profissionais em começo de carreira não ganham muito, e obviamente grande parte da renda deve ser destinada a cursos e programas de formação que possibilitem o amadurecimento profissional e a rápida ascensão na carreira. Mas essa é uma fase muito interessante para poupar uma parte, mesmo pequena, da renda mensal. Algo entre 5% e 10% dos ganhos totais talvez seja suficiente. São duas as razões para começar a poupar: nessa fase, o maior contato com o meio acadêmico amplia as fontes de informação (aproveitem para aprender sobre o mercado de capitais) e a falta de grandes compromissos financeiros fixos viabiliza o maior apetite pelo risco (aproveitem para investir em ações, entender os mecanismos de ganhos e perdas desse mercado e começar a gerar grandes lucros). Sugiro que uma parte significativa de seus investimentos se concentre nesse tipo de aplicação. Se houver grandes perdas, utilize-as como aprendizado, entendam seus erros e revejam suas estratégias.

Casais sem filhos: já há compromissos financeiros fixos, por isso esse é o momento de traçar um plano de investimentos mensais e de começar a estabelecer limites para o risco. A união de forças deve permitir o acesso a investimentos mais rentáveis, mas não abram mão de conhecer mais o mercado de capitais. Considerem a estratégia de aplicar seus recursos em fundos mistos, que incluam participação significativa em renda variável (ações), ou apliquem pelo menos 25% de seu patrimônio em uma carteira selecionada de ações ou em investimentos de maior potencial de ganho. Esse é o momento de buscar ganhos maiores e aceitar um nível maior de risco. Assim que quitarem as dívidas do início da vida a dois, passem a economizar pelo menos de 10% a 15% do total de sua renda. Muitos casais não acreditam ser possível economizar tanto assim. Mas pergunto: o que vocês fariam se houvesse uma redução de 15% da renda familiar? Vocês não teriam de fazer os ajustes necessários para equilibrar o orçamento? Mesmo que isso seja desagradável, vocês teriam de aceitá-lo. Da mesma forma, economizar uma quantia similar não está além da capacidade da maioria das famílias. Normalmente é apenas uma questão de sacrificar-se um pouco e fazer as mudanças necessárias em seu estilo de vida.

Casais com filhos pequenos: a chegada dos herdeiros exige uma postura de investimentos menos agressiva e um novo planejamento financeiro para garantir fundos para a educação dos filhos. Deve-se diminuir o nível de risco da carteira focando mais em investimentos em renda fixa. Participações reduzidas em renda variável, investindo até 15% ou 20% do patrimônio em ações, são bastante razoáveis. Se as ações tiverem grandes perdas, será possível recuperar essa pequena fatia do capital em dois ou três anos, sem atrasar muito a aposentadoria. Investimentos em ativos fixos como imóveis (lembre-se dos juros compostos) podem ser uma boa alternativa dessa fase em diante. Se a poupança formada até então não for suficiente para garantir o estudo dos filhos na falta de um dos pais, será o momento de fazer um seguro de vida, um seguro-educação (como plano de previdência) ou um seguro-trabalho (para profissionais liberais).

Casais com filhos adolescentes: provavelmente essa é a fase de maiores gastos da família, quando planos de poupança para a educação atingem o ápice e começam a ser resgatados. O conservadorismo é fundamental nesse momento. Oportunidades de investimento na educação dos filhos podem surgir, e o que era uma carteira de investimentos financeiros pode tornar-se uma aplicação na carreira do filho, custeando, por exemplo, um curso de inglês no exterior. A fase pede investimentos de resultados mais previsíveis. Ações, somente as de primeira linha.

Casais com filhos adultos: a maior independência dos filhos, somada à entrada deles no mercado de trabalho, proporciona folga ao orçamento familiar. Essa fase normalmente traz a possibilidade de agilizar a aposentadoria ou de aproveitar mais intensamente a vida – uma escolha pessoal. Como grande parte da massa crítica necessária à independência financeira já deve ter sido acumulada, pode-se diminuir sensivelmente o nível de risco. Não se deve investir mais do que 10% do patrimônio em ações, a não ser sob a supervisão de um bom gestor.

Casais financeiramente independentes: a independência financeira causa efeito quase mágico sobre as finanças da família. As mudanças são tão intensas que resolvi dedicar o capítulo 9 – "Administrando o sucesso de um plano" – inteiramente a esse tema.

CAPÍTULO 8

Valores que devem ser construídos ao longo da vida

Vocês já devem ter percebido que uma das poucas coisas que podem impedi-los de tornar-se ricos é a perigosa sedução do dinheiro, a tentação de consumir e proporcionar a si mesmos um padrão de vida um pouquinho melhor do que aquele que vocês têm hoje. Realmente, é difícil resistir ao consumo, já que somos bombardeados por apelos de marketing 24 horas por dia, sete dias por semana. Mas a maioria de nossas ações de consumo decorre de escolhas, nossas ou de nossos filhos. Limitar o orçamento doméstico não significa deixar de consumir, mas consumir dentro de certos limites. Diminuir 5% ou até mesmo 10% o padrão de vida para poder mantê-lo permanentemente em vez de sofrer uma redução brusca de 30% ou 40% desse padrão quando chegar a velhice – isso vale a pena? Tenho certeza de que sim.

Alguns valores e pressupostos adotados nos momentos de decisão ao longo da vida devem ser revistos. Vejam, nos tópicos seguintes, como a adequação da vida atual a um futuro mais próspero pode ser bem menos sofrida do que se supõe.

Como resistir à tentação de gastar

De fato, gastar dinheiro dá um prazer enorme. Conheço pessoas que têm no orçamento pessoal um "fundo antidepressão": quando se sentem tristes, vão ao shopping gastar dinheiro, esbaldar-se em consumo. O pior é que isso funciona! Muitos não têm coragem de construir o orçamento doméstico justamente por medo de ficar deprimidos. É impressionante como as pessoas dependem do dinheiro para manter o equilíbrio mental! Nesse caso, um consultor financeiro pessoal acaba fazendo o papel de psiquiatra, como numa clínica para tratamento de dependentes de drogas.

Obviamente, não haverá argumentos suficientes para convencer um dependente de que o futuro é tão importante quanto o presente. É preciso encontrar alternativas tão motivadoras quanto o consumo para resistir às tentações.

Eu me sirvo de duas fontes de motivação para manter meu orçamento na linha e lembrar-me de pensar duas vezes antes de comprar por impulso. A primeira delas é incluir em minha planilha pessoal de orçamento doméstico dois indicadores apaixonantes: quanto recebo de juros de meus investimentos e quanto falta para conquistar a independência financeira. Pode parecer pouco para quem nunca acompanhou esses indicadores, mas saber que a cada dia se fica mais rico e a independência financeira está cada vez mais próxima traz uma sensação de bem-estar impagável. Esses dois indicadores são motivo suficiente para que eu continue fiel a meus objetivos.

Se os números não mexem com seus impulsos, sugiro considerar a segunda fonte de motivação. Pensem em coisas que serão importantes para vocês no futuro. Quando estiverem velhinhos e rodeados de netos curiosos, será que aquela bolsa de marca famosa fará diferença? Será que o conjunto novo de rodas para o carro os tornará mais felizes? O jantar num restaurante caro será lembrado com maior frequência que uma boa noite de sexo? Quantas coisas que vocês adoravam na adolescência já não são feitas? Por quê?

Faço questão de enfatizar a ideia de que as coisas mais importantes da vida são acessíveis a qualquer pessoa. Momentos únicos a dois, abraços carinhosos dos filhos, beijos apaixonados e intermináveis, caminhadas por lugares desconhecidos, horas de paz sem fazer nada em um local bucólico são prazeres simples, que nada custam e são deixados para trás – e por quê? A desculpa é a falta de tempo que o trabalho nos impõe. Sim, mas o trabalho nos rouba o tempo porque desejamos ter mais dinheiro. E desejamos ter mais dinheiro para poder consumir, para poder pagar aquela peça de teatro que estará em cartaz somente até esta semana, para assistir àquele espetáculo caríssimo, de apresentação única, ou para poder renovar o guarda-roupa (já que a moda mudou). Gastamos o pouco tempo que temos em consumo porque todo o tempo restante é dedicado ao pagamento do tempo de consumo. Não faz sentido!

Vocês começarão a enriquecer mais rapidamente quando perceberem a importância das coisas que não custam nada. Deixem para depois as tardes de compras, gastem o tempo em tardes de paixão. No mínimo, aquela renda que parecia insuficiente passará a garantir uma poupança mensal. E a poupança permitirá que, em breve, haja tempo tanto para consumir quanto para amar.

Adeus, rotina

Uma das causas da queda da qualidade no relacionamento do casal é a rotina. Ela é inevitável após vários anos de convívio por duas razões bastante simples: as diferenças pessoais não são mais novidade. No começo do relacionamento, a paixão é alimentada por essas diferenças. A novidade abre as portas para um mundo mais amplo e crescemos com a relação. Com o tempo, alguns hábitos que não agradam ao parceiro são abandonados e os diversos hábitos tolerados convergem para uma "zona de conforto", tornando-se comuns. A pessoa amada deixa de ser novidade em nosso mundo.

Na época do namoro, grande parte de nossa renda – não importa se mesada, bolsa-estágio ou salário – é gasta com a conquista ou com nossos hábitos sociais e de lazer. Esses hábitos constituem a "novidade" para a pessoa amada. Nós nos apaixonamos por aquilo que a pessoa é e pela maneira como vive. Com o tempo e o casamento, as responsabilidades aumentam e o orçamento fica bem mais apertado. Não sobram muitos recursos para o que não é essencial, e desse fato decorre a rotina. Rotina que não é associada necessariamente ao casamento, e sim à restrição de hábitos prazerosos.

Muitos responsabilizam a pessoa amada pela rotina, quando na verdade isso pode ser consequência da falta de planejamento. E um bom planejamento financeiro pode diminuir bastante a rotina do casamento. Como? O que vocês acham de incluir, entre os gastos essenciais do mês, uma verba para sair da rotina?

Chamo essa verba de **finanças da reconquista diária**. Não é preciso contar com grandes quantias. Na fase de namoro, pouco dinheiro e muita criatividade certamente traziam momentos muito especiais. Tampouco é preciso perder horas imaginando alguma coisa criativa. Até mesmo a rotina pode ser "sem rotina". Alguns de meus amigos cultivam a rotina de, toda semana, conhecer um bar ou restaurante diferente. Outros têm a rotina de, a cada dois meses, viajar para algum lugar que não conhecem durante um fim de semana. Vocês podem criar a rotina de, toda semana, preparar juntos um novo prato na cozinha.

Essas mudanças constantes, que talvez não custem muito, podem renovar diariamente o namoro de vocês. Considerar essa meta no planejamento financeiro é uma forma de motivar-se para reconquistar um ao outro. Na pior das hipóteses, os recursos se acumularão durante um ano para garantir férias muito especiais. Invistam em si mesmos!

Sonhos de consumo

Neste livro, tenho insistido com certa frequência no fato de que o consumo e um padrão de vida além de nossas posses são o motivo do insucesso financeiro. Penso que os sonhos de consumo não devem ser abandonados, e sim adiados até que tenhamos reservas financeiras suficientes para poder pagá-los sem riscos.

Alguns objetivos de consumo, porém, são questionáveis. No capítulo 3, discuti alternativas ao sonho de comprar um carro luxuoso. Outro luxo que pode levar uma família à ruína se for mal planejado é a aquisição de uma casa de veraneio na praia ou no campo. Quando a renda aumenta um pouco e nos encantamos com a ideia de "subir um degrau" no padrão de vida, dificilmente pensamos em um projeto como esse de forma racional. Mesmo que pessoas muito queridas forneçam todos os argumentos contra tal projeto, as palavras de um corretor – treinado para nos persuadir – parecem muito mais convincentes que todas as horas de discussão que antecedem uma visita ao estande de vendas.

Por isso, muitos esquecem detalhes importantes de uma aquisição desse tipo. Consideram apenas o valor de aquisição, mas não somam os gastos com decoração, condomínio, manutenção, impostos e segurança. Consideram os prazeres de um fim de semana ensolarado, mas esquecem o desprazer de perder esse mesmo fim de semana atrás de um eletricista porque o tempo ruim prejudicou as instalações elétricas ou atrás de um limpa-fossas porque a "coisa" transbordou. Sem contar o fato de que os filhos crescem e não querem mais ir ao tal sítio.

Meu objetivo não é desestimulá-los de adquirir uma segunda nem uma terceira propriedade, mas é conveniente lembrá-los de que o valor dessa propriedade – mais os custos de manutenção – pagaria férias fantásticas, talvez com frequência maior do que o usufruto da casa e sem preocupações com reparos nem limpeza.

Esse tipo de investimento somente se justifica em situações de intenso aproveitamento. Se vocês gostam de receber amigos e parentes com frequência, adoram trazer para casa as pessoas próximas em festas e celebrações ou pretendem ter um lugar para efetivamente morar nos fins de semana, talvez seja uma boa ideia investir em seu "cantinho" – desde que ele caiba no orçamento sem comprometer o projeto de independência financeira.

O mesmo vale para qualquer aquisição cujo efetivo aproveitamento seja duvidoso. Pagar caro por uma roupa de festa para usá-la não mais que duas ou três vezes? Optem por alugá-la. Adquirir o título de um clube sem a certeza de desfrutá-lo? Pensem duas vezes. Esbarramos em armadilhas financeiras como essas diariamente. Não façam grandes negócios sem antes pensar alguns dias nos custos e nos benefícios.

Paguem-se primeiro

Acredito que todos os livros sobre finanças pessoais ou planejamento financeiro pessoal tenham em comum pelo menos duas regras: nunca ponham todos os ovos em uma única cesta e paguem-se primeiro.

A primeira diz respeito à diversificação dos investimentos. Tratei disso no capítulo anterior. Se vocês investirem em algo que oferece certo nível de risco, invistam também em ativos que possam compensar eventuais perdas. Não existe situação no mercado financeiro em que todos perdem. Quando muita gente perde dinheiro, poucas pessoas estão ganhando muito. Diversifiquem para diminuir o risco de sua carteira de investimentos.

A segunda regra, paguem-se primeiro, diz respeito a uma filosofia de vida. Muito cuidado com sua interpretação. Alguns entendem que essa regra diz que, para ser feliz, é preciso gastar com a satisfação pessoal antes de cumprir outros compromissos financeiros. É a filosofia dos eternamente endividados, uma forma completamente errada de pagar a si mesmo em primeiro lugar. "Paguem-se primeiro" diz respeito ao compromisso com um planejamento para garantir um futuro sem dificuldades financeiras e fazer o possível e o impossível para que o plano seja cumprido.

Se vocês assumiram o compromisso de poupar certo valor todo mês, esse deve ser o primeiro dinheiro a sair de sua conta quando receberem o salário. Se o custo de vida aumentou, terão de apertar o cinto para pagar as demais contas. Se isso for difícil, optem por ter parte do salário (vocês decidem quanto) automaticamente debitada da conta-corrente e depositada no investimento escolhido. Seu banco pode fazer isso por vocês, chama-se investimento programado. É fácil, conveniente e ajuda a manter a disciplina.

Se vocês planejarem o futuro e assumirem o sério compromisso de pagar-se primeiro, esse futuro será uma deliciosa continuação da sensação de segurança do presente. Algo que, no Brasil, ainda é prerrogativa de poucas pessoas bem informadas. Vocês, queridos leitores, também podem fazer parte desse seleto grupo privilegiado.

*Muitos responsabilizam
a pessoa amada pela rotina, quando
na verdade isso pode ser consequência da
falta de planejamento. E um bom
planejamento financeiro pode diminuir
bastante a rotina do casamento. Como?
O que vocês acham de incluir,
entre os gastos essenciais do mês, uma
verba para sair da rotina?
Chamo essa verba de
finanças da reconquista diária.*

CAPÍTULO 9

Administrando o sucesso de um plano

Já afirmei que a etapa mais difícil do planejamento financeiro é o começo. Deixar a acomodação de lado, montar um orçamento, fazer e refazer os cálculos iniciais toma tempo e, para muitos, não são atividades interessantes.

Depois vem uma fase quase tão difícil quanto a primeira: conseguir motivação para continuar o plano. Nessa fase, a impressão que temos é de que deixamos no banco um dinheiro que nos faz muita falta no fim do mês, e os resultados não aparecem. Vejam como se comporta o saldo final de sua conta nos primeiros seis meses de um investimento mensal de R$ 100,00 a juros de 1% ao mês. Vocês depositam R$ 100,00 hoje e os extratos mostram o seguinte:

Meses de aplicação	Total aplicado	Juros ganhos	Saldo final
1	R$ 100,00	R$ 1,00	R$ 101,00
2	R$ 200,00	R$ 3,01	R$ 203,01
3	R$ 300,00	R$ 6,04	R$ 306,04
4	R$ 400,00	R$ 10,10	R$ 410,10
5	R$ 500,00	R$ 15,20	R$ 515,20
6	R$ 600,00	R$ 21,35	R$ 621,35

É desanimador, pois muitos pensam da seguinte forma: "Puxa, deixamos de aproveitar R$ 100,00 de nossa renda durante seis meses para, nesse tempo todo, ganhar apenas R$ 21,35?" Parece não valer o esforço. Mas, se vocês continuarem a simulação durante alguns anos, terão os seguintes saldos lá pelo décimo ano:

Meses de aplicação	Total aplicado	Juros ganhos	Saldo final
119	R$ 11.900,00	R$ 11.003,87	R$ 22.903,87
120	R$ 12.000,00	R$ 11.233,91	R$ 23.233,91
121	R$ 12.100,00	R$ 11.467,25	R$ 23.567,25

No 120º mês, em que o plano completará dez anos, vocês terão aplicado R$ 12.000,00 (120 x R$ 100,00), mas o saldo será de R$ 23.233,91, ou seja, só de juros haverá R$ 11.233,91 acumulados, mais de R$ 1.000,00 por ano. Ainda é pouco para motivar? Vejam o efeito após mais alguns anos:

Meses de aplicação	Total aplicado	Juros ganhos	Saldo final
240	R$ 24.000,00	R$ 75.914,79	R$ 99.914,79
360	R$ 36.000,00	R$ 316.991,38	R$ 352.991,38
480	R$ 48.000,00	R$ 1.140.242,02	R$ 1.188.242,02

Superada a etapa da motivação, vem a terceira fase: a do amadurecimento. Após alguns anos de implementação do plano, parece que as energias positivas do universo convergem para facilitar seu caminho. A rentabilidade de seus investimentos aumenta tanto em razão da maior massa de recursos acumulada quanto por sua maior experiência e capacidade de selecionar investimentos. Uma boa massa de recursos poupados ainda abre espaço para aproveitar oportunidades de investimento em imóveis ou em qualquer ativo que possa ser adquirido a preço mais baixo que o de revenda. Quanto mais dinheiro vocês tiverem, mais rapidamente ele crescerá.

Quando finalmente chega a fase da independência financeira, a relação do casal com o dinheiro é de absoluta tranquilidade. Anos de esforço são recompensados com uma sensação magnífica. Antes da independência, passamos a vida restringindo o orçamento para garantir o sucesso de nosso plano. A mudança que ocorre em seguida é marcante.

Percebam o que acontece quando o plano é concluído: vocês tinham uma renda que, muito provavelmente, continua existindo. Antes, porém, destinavam uma fatia da receita aos investimentos, mas agora não há mais necessidade desse sacrifício, pois os investimentos já rendem tanto quanto ou até mais que a renda obtida do trabalho. Na verdade, vocês passam a receber dois salários: um do trabalho e outro do banco – ou de onde quer que seu dinheiro esteja. Nessa situação, cria-se um ciclo de prosperidade: se não deixarem de trabalhar, sua fortuna continuará crescendo em ritmo intenso. Há algumas alternativas a seguir:

1. Vocês podem parar de trabalhar e começar a viver apenas da renda de seus investimentos.
2. Vocês podem continuar trabalhando, agora por absoluto prazer – não mais por necessidade de renda. Aos poucos, podem melhorar o padrão de vida à medida que os juros líquidos de seus investimentos aumentam mês a mês.
3. Vocês podem aplicar parte dos recursos poupados na abertura de um negócio próprio e deixar de vez de ser empregados. Uma empresa é uma forma de investimento que, uma vez bem administrada, também gera renda para a família.
4. Se não estiverem satisfeitos com o nível de risco de seus investimentos, vocês podem converter parte dos recursos em bens que gerem renda regular na conta-corrente, adquirindo imóveis comerciais para alugar a terceiros, por exemplo. Em alguns casos, perde-se em eficiência financeira, mas ganha-se em segurança. Vale destacar que, hoje em dia, um número cada vez maior de aposentados investe no mercado de capitais para manter um padrão de vida melhor.

Seja qual for a alternativa escolhida, certamente ela é capaz de trazer a sua família uma realidade bem diferente daquela de milhões de idosos no Brasil. São consequências de uma vida bem vivida, mas planejada. Não vale a pena?

O que é um aposentado

Quando, no final do capítulo 7, mencionei um casal financeiramente independente logo após um casal com filhos adultos, talvez tenha deixado a impressão de que a independência financeira deva vir nessa ordem, com a terceira idade, mas **nem a independência financeira nem a aposentadoria estão relacionadas à idade.**

Se vocês tiverem boas oportunidades de ganhos ainda jovens e forem disciplinados no começo da vida a dois, poderão conquistar bem cedo a independência financeira. Conheço pessoas financeiramente independentes com menos de 30 anos de idade. Obviamente, essa felicidade é para poucos e depende de fatores tão diversos quanto o sucesso profissional, a herança da família e o padrão de vida escolhido.

Mas será que um casal financeiramente independente pode ser considerado "aposentado"? Em termos legais, não. Para ser considerado aposentado e se beneficiar dos direitos exclusivos dessa categoria, um indivíduo precisa ter o tempo mínimo de contribuição à Previdência Social e ainda atingir a idade mínima. Os direitos exclusivos dos aposentados no Brasil, porém, não são grande coisa, e o fato de serem aposentados no papel não livra nossos idosos da necessidade de trabalhar para sustentar o lar.

Eu me dou ao luxo de usar o termo "aposentado" para falar daqueles que podem deixar de trabalhar – se quiserem. Ninguém está em condições mais dignas de "vestir o pijama" que aqueles que conquistam a independência financeira. Por isso podemos dizer que perseguir essa meta é o mesmo que planejar uma aposentadoria digna, coisa ainda rara entre as pessoas honestas de nossa terra.

Aposentadoria não é sinônimo de estagnação. A evolução da medicina e a melhora da qualidade de vida da população estão elevando rapidamente a expectativa de vida. As projeções do IBGE indicam que a expectativa de vida média do brasileiro deverá chegar aos 81 anos em 2050. Isso significa que um cidadão de classe média, com acesso a planos de saúde, bons médicos e medicamentos e boa alimentação, poderá chegar facilmente aos 100 anos em meados deste século.

Aposentar-se significa pensar em acomodação? Definitivamente não. Significa talvez fazer a faculdade da qual se abriu mão ainda jovem e seguir uma carreira pela qual se tenha paixão – quantos não escolhem a carreira apenas pelas possibilidades de ganho? Significa talvez dedicar mais tempo aos hobbies abandonados nos últimos anos. Significa trabalhar com uma postura mais profissional e menos submissa, sem medo de perder o emprego. Significa poder dar-se ao luxo de viajar mais e conhecer o mundo. Significa poder deixar o trabalho por alguns meses e dedicar-se a um período sabático.[26]

A última coisa que deve passar pela cabeça de vocês quando pensarem em aposentadoria é parar de trabalhar. O trabalho é importante e enobrece, além de evitar uma aposentadoria que ninguém deseja: a da mente. Devem, sim, parar de trabalhar para dedicar-se a outras coisas, manter-se ativos. Pensem na aposentadoria como uma oportunidade de crescer. Pensem na aposentadoria como a oportunidade de dividir um pouco de suas conquistas com quem jamais terá tamanha felicidade. Pensem em trabalhos voluntários, que, ao contrário de pagar pelo bolso, pagam pelo coração.

Aposentar-se, em finanças pessoais, significa, portanto, atingir uma segurança financeira que lhes permita viver a vida como vocês gostariam. Talvez até trabalhando muito.

---

[26] Período de introspecção em que as pessoas, geralmente executivos, resolvem fazer uma pausa para pôr em dia tudo o que acumularam nos últimos anos, de livros não lidos à reaproximação de amigos e da família. Um de meus mestres mais queridos me deu a definição perfeita do termo: é o período em que se vive como se todos os dias fossem sábado.

Uma estratégia para quem chegou lá

Ter em mãos dinheiro mais do que suficiente para viver é um sonho de todos nós, a solução da maioria de nossos problemas. Concordam? Cuidado, essa solução pode ser apenas aparente! Muitos premiados pela loteria, bem como astros da televisão e do cinema e esportistas que acumulam fortunas, perdem todo o patrimônio em poucos anos. O motivo é a falta de percepção de que a parte útil do dinheiro é a renda – os juros, e não a massa acumulada.

Quem tem a felicidade de atingir a independência financeira e ainda continuar trabalhando pode sentir-se meio desorientado com a sensação de ter duas rendas, principalmente se chegou a esse ponto mantendo um padrão de vida menor que o salário mensal. Imaginem, por exemplo, que vocês ganham R$ 2.000,00 mensais. Como proceder quando seus investimentos passarem a gerar também R$ 2.000,00 mensais de juros?

Obviamente, vocês não devem elevar o padrão de vida para R$ 4.000,00, pois seriam obrigados a reduzi-lo pela metade quando, mais à frente, deixassem de trabalhar. O certo é continuar poupando, mas a mecânica da poupança mudará sensivelmente. Ao atingir a independência financeira, vocês devem passar a retirar o rendimento líquido de suas aplicações e investir o dinheiro do salário.

A partir de então, o salário existiria apenas pelo prazer do trabalho e seria usado para engordar a massa de investimentos se totalmente aplicado.

A cada mês de salário, o patrimônio de vocês aumentaria um pouco, gerando mais renda para o mês seguinte. Então, sim, poderiam consumir tranquilamente todo o rendimento líquido de impostos e inflação. Se resolvessem parar de trabalhar, não sofreriam queda de renda, pois a massa crítica estaria preservada. Não é maravilhoso sonhar com a hipótese de chegar a um ponto em que o padrão de vida cresce mensalmente?

Administrando o que fica

Muitos de meus leitores questionam minha teoria de formar uma massa crítica capaz de gerar renda infinita. "E o dinheiro poupado, fica para quem?" é uma das perguntas que ouço com maior frequência. Obviamente, deixar como herança uma poupança que gere renda é uma alternativa a deixar bens materiais. Uma das principais fontes de oportunidade do mercado imobiliário são os herdeiros que, após a conclusão do inventário, rapidamente se desfazem de propriedades de família. Há até, infelizmente, corretores imobiliários inescrupulosos que frequentam velórios e apresentam-se como amigos dos falecidos apenas para criar a oportunidade de oferecer um cartão e abrir as portas a futuros negócios. Propriedades herdadas são em geral vendidas a preços baixos devido à urgência de cobrir dificuldades financeiras dos herdeiros ou para "partir o bolo" sem maiores sofrimentos.

Quando os investimentos de família são discutidos entre pais e filhos, isso normalmente não acontece. Mas, se os pais resolverem deixar uma poupança em vez de bens, os resultados poderão ser bem mais satisfatórios se a visão de independência financeira for compartilhada entre todos. Em lugar de deixar bens (e os gastos que vêm com eles – impostos, manutenção e condomínio, entre outros), os pais deixam uma fonte de renda aos herdeiros. Talvez antecipem em vários anos a aposentadoria dos filhos.

Tenham em mente o fato de que uma boa quantia no banco rende juros volumosos, em geral maiores que os de um imóvel de mesmo valor renderia de aluguel ou uma fazenda traria como retorno com sua atividade. Em vez de legar a seus filhos bens imobiliários de difícil negociação, por que não aceitar a ideia de lhes passar uma renda e uma boa educação financeira?

O argumento de muitos que não poupam é de que dinheiro no banco não está seguro. Não compartilho essa opinião, mesmo porque o Banco Central do Brasil e o da maioria dos países adotaram normas de funcionamento para os bancos que praticamente eliminam o risco de quebra.[27] Existem, porém, outras formas de fazer o dinheiro crescer. Seja comprando e vendendo bens de valor, seja abrindo um negócio próprio, qualquer forma de multiplicação do dinheiro requer algum dinheiro. E vocês só o terão para investir se começarem a poupar hoje.

O planejamento financeiro em família pode garantir a perpetuação da riqueza. Para isso, é preciso oferecer aos filhos uma boa educação financeira, incentivá-los a investir e compartilhar com eles planos, objetivos e sucessos de investimento.

Talvez nem todos os filhos assimilem o conhecimento financeiro da mesma forma, o que pode gerar nos pais certo receio de que uma herança desapareça rapidamente. Há meios de prevenir isso. A forma mais simples de garantir que os desejos dos pais em relação ao futuro financeiro dos filhos sejam efetivados é através da consecução de um testamento. Esse assunto não é amplamente tratado na mídia nem nas rodas de conversa porque pouquíssimas famílias brasileiras concretizam o sonho de deixar fortunas aos herdeiros. Mas nosso amadurecimento em relação à importância de garantir um bom padrão de vida na velhice construirá uma geração mais rica nos próximos anos. Em países cuja renda *per capita* e poupança média são significativamente maiores que as brasileiras, programas de computador específicos para a elaboração de testamentos são best-sellers nas prateleiras de lojas de informática. Conversem com seu advogado sobre esse assunto.

Em situações em que a poupança acumulada ultrapassa o valor suficiente para garantir um padrão de vida mediano à família e aos herdeiros, recomenda-se a gestão terceirizada do patrimônio. Hoje, há grande difusão de empresas especializadas na análise dos investimentos familiares, na construção de uma carteira de investimentos

---

[27] O Banco Central do Brasil disponibiliza em seu site (www.bcb.gov.br) informações sobre os Princípios da Basileia, que norteiam a supervisão bancária eficaz adotada no Brasil.

adaptada à aversão pessoal ao risco e na recomendação de investimentos adequados aos objetivos familiares. Normalmente esse serviço é oferecido a famílias que já têm alguma poupança formada, pois o valor do serviço é cobrado com base num percentual do patrimônio. Como nos fundos, quanto maior o patrimônio, menor será o percentual cobrado.

No caso de fortunas que abrangem investimentos no exterior ou cujo patrimônio soma alguns milhões, recomenda-se um passo além. Muitas famílias constituem fundações, ou trustes, tornando seus membros cotistas da riqueza em vez de donos de todo o dinheiro. A diferença pode parecer sutil, mas traz implicações tributárias bastante significativas. Quando em vida, os pais são donos das cotas de seus investimentos, cuja gestão e distribuição de resultados são reguladas por contrato assinado entre os cotistas. Todas as movimentações são feitas por administradores profissionais, e alterações do contrato de gestão se realizam por consenso ou votação entre os cotistas ou seus procuradores. Quando um dos cotistas morre, os herdeiros legais dividem suas cotas. Como a riqueza é da fundação e as cotas possuem valor contratual simbólico, a tributação sobre a herança de bens é reduzida. Vale a pena pensar no assunto.

Não querem – ou não precisam – deixar herança

Existe também a possibilidade de não haver desejo de deixar herança. Talvez porque os filhos não façam por merecer, talvez porque tenham tido a felicidade de construir um padrão de vida muito melhor que o dos pais ou porque estes não conseguiram acumular poupança suficiente para assegurar a independência financeira dos filhos. Hoje em dia, também são comuns os casais que não têm filhos.

Nesses casos, quanto gastar por mês para que as reservas não sobrem? Infelizmente não há resposta perfeita a essa pergunta. Mas é possível diminuir as chances de erro. Digamos que um casal tinha como meta acumular uma poupança capaz de gerar uma renda mensal de R$ 2.000,00. Hoje, porém, eles estão com 80 anos, sem vontade de continuar trabalhando e com uma poupança acumulada de R$ 200.000,00 aplicados em um investimento que rende, após desconto de imposto de renda e inflação, 0,6% ao mês – isto é, R$ 1.200,00 líquidos. Se quisessem perpetuar a renda, não poderiam sacar mais de R$ 1.200,00 por mês. Mas, como desejam consumir a poupança, podem sacar mais.

O segredo é estabelecer um prazo para o uso do dinheiro e dividir a poupança em prestações iguais. Que prazo? Sugiro fortemente que o casal suponha que viverá pelo menos até os 100 anos – afinal, já existem mais de 25 mil brasileiros acima dessa idade. A taxa de juros considerada deve ser livre de inflação, e no valor calculado hoje devem ser incluídos os efeitos da inflação até que a poupança acabe.

O cálculo exige, mais uma vez, conhecimentos de matemática financeira. Por isso elaborei a tabela da página seguinte que funciona de maneira muito simples: a intersecção da linha da taxa de juros dos investimentos e da coluna da idade mostra o percentual que deve ser sacado hoje para que a poupança dure até que se alcance 100 anos. Todo mês será preciso corrigir o valor obtido pela inflação para manter o poder de compra. Aproximadamente aos 100 anos a poupança será zerada.

No exemplo do casal de 80 anos que citei, o investimento de R$ 200.000,00 gera renda perpétua de R$ 1.200,00. Mas a tabela mostra que, para que a poupança, que cresce 0,6% ao mês, dure dos 80 aos 100 anos de idade, o casal terá de sacar valor equivalente, na data de hoje, a 0,7873% dessa poupança. Isso significa R$ 1.574,60,[28] ou R$ 374,60 a mais que a renda infinita de R$ 1.200,00. Daqui em diante, eles poderão sacar todo mês esse valor corrigido pela inflação. Se, com a orientação de um especialista, conseguissem uma rentabilidade de 0,65% ao mês, o valor que poderiam sacar hoje seria

---

[28] Resultado do cálculo: R$ 200.000,00 x 0,007873 = R$ 1.574,60.

de 0,8240% do patrimônio, ou R$ 1.648,00. Um cuidado maior com a rentabilidade dos investimentos pode significar o pagamento de algumas contas do mês!

Idade Taxa de juros/mês	60	65	70	75	80	85	90	95
0,30%	0,3934%	0,4191%	0,4546%	0,5060%	0,5851%	0,7198%	0,9935%	1,8237%
0,35%	0,4305%	0,4549%	0,4890%	0,5389%	0,6166%	0,7498%	1,0220%	1,8507%
0,40%	0,4690%	0,4920%	0,5247%	0,5730%	0,6490%	0,7804%	1,0509%	1,8780%
0,45%	0,5090%	0,5305%	0,5615%	0,6081%	0,6823%	0,8118%	1,0803%	1,9055%
0,50%	0,5502%	0,5702%	0,5996%	0,6443%	0,7164%	0,8439%	1,1102%	1,9333%
0,55%	0,5926%	0,6110%	0,6387%	0,6815%	0,7515%	0,8766%	1,1406%	1,9613%
0,60%	0,6360%	0,6529%	0,6788%	0,7196%	0,7873%	0,9100%	1,1714%	2,9896%
0,65%	0,6803%	0,6958%	0,7199%	0,7586%	0,8240%	0,9441%	1,2027%	2,0181%
0,70%	0,7255%	0,7395%	0,7618%	0,7985%	0,8615%	0,9789%	1,2345%	2,0468%
0,75%	0,7714%	0,7840%	0,8046%	0,8392%	0,8997%	1,0143%	1,2668%	2,0758%
0,80%	0,8178%	0,8292%	0,8482%	0,8807%	0,9387%	1,0503%	1,2995%	2,1051%
0,85%	0,8649%	0,8750%	0,8924%	0,9228%	0,9783%	1,0869%	1,3326%	2,1346%
0,90%	0,9124%	0,9214%	0,9372%	0,9657%	1,0186%	1,1241%	1,3662%	2,1643%
0,95%	0,9603%	0,9683%	0,9827%	1,0092%	1,0595%	1,1618%	1,4002%	2,1942%
1,00%	1,0085%	1,0155%	1,0286%	1,0532%	1,1011%	1,2002%	1,4347%	2,2244%

Se o casal realmente não pretende deixar recursos para os herdeiros, há ainda a possibilidade de doação. Tudo o que foi escrito até agora vale também para doações. Uma fortuna em ativos financeiros será muito bem recebida por instituições sérias e organizadas, que saberão usar seu caixa em prol de uma causa maior.

CAPÍTULO 10

A riqueza como objetivo de vida

O planejamento financeiro, as orientações sobre a forma de lidar com o dinheiro e as dicas de economia doméstica que ofereço neste livro têm certamente o objetivo de fazer de vocês um casal mais rico e com menos problemas ao longo da vida. Não quero, porém, criar a ilusão de que o enriquecimento ocorrerá por um caminho sem dificuldades.

Sempre haverá dúvidas, vocês terão frustrações com algumas perdas, seu plano precisará ser revisado algumas vezes, e talvez em algumas dessas revisões terão de adiar seus objetivos por alguns meses ou anos. Todavia, quanto mais cuidadoso for o planejamento tanto menor será o sofrimento causado por situações indesejáveis.

Se perderem dinheiro com algum investimento, isso será triste. Pior será, porém, se um dos dois pensava em investir e o outro preferia usar esses recursos em consumo: "Deixamos de viajar para você aplicar essa quantia em ações e agora me diz que perdemos dinheiro..."

Se algum dia tiverem uma discussão áspera por erros de planejamento financeiro, parabéns. Não existe relacionamento sem pequenos conflitos. Se a razão do conflito for a busca de acordo em relação a um futuro melhor, ótimo. Ambos estão lutando por maior convergência. Esse tipo de conflito é muito melhor que o conflito cotidiano ligado ao dinheiro, quando cada um se propõe objetivos completamente diferentes, dando origem a uma luta em razão dessa divergência.

O ponto é: **a busca de um futuro financeiramente estável e seguro traz paz.** É como ter uma garantia por trás de cada decisão que tomamos. Talvez não vivamos tempo suficiente para atingir nossos objetivos, mas teremos vivido felizes por levar uma vida motivada por objetivos. Isso faz toda a diferença.

Tempo e recursos limitados: desistimos da ideia de enriquecer?

Alguns leitores podem sentir-se frustrados com algumas passagens deste livro nas quais demonstro simulações e apresento tabelas. Vocês não devem desanimar se, com os recursos disponíveis mensalmente, após espremer ao máximo o orçamento, os prazos para atingir os objetivos parecerem longos demais ou os juros necessários parecerem inacessíveis. Esbocem seu plano e ponham-no em prática na medida do possível.

Talvez vocês não tenham condições de obter a independência financeira dentro de um prazo razoável. Não importa, persigam o sonho. Se conseguirem garantir que uma parte significativa de seus gastos mensais atuais seja coberta por recursos próprios, esse já será um peso a menos nas costas ao longo da vida.

Parte de sua renda futura será custeada pela Previdência Social se contribuírem regularmente. Uma parte mínima, mas isso é melhor que nada. Não contem com avanços nessa área. Talvez encontrem alguma atividade prazerosa e remunerada na velhice, é uma questão de se preparar para isso – da mesma forma que nos preparamos para entrar no mercado de trabalho. Pode ser um caminho.

A perda do emprego ou a aposentadoria formal trazem algum fôlego para as reservas de recursos na forma de eventuais indenizações, bonificações ou através do Fundo de Garantia por Tempo de Serviço (FGTS). Mesmo antes de deixar de trabalhar, a poupança acumulada até então, qualquer que seja o valor, já será um colchão de segurança contra o desemprego, uma fonte de tranquilidade. A garantia de que não faltarão teto nem comida para a família, de que não será preciso tirar os filhos da escola e de que há recursos para procurar emprego sem desespero é apenas uma questão de tomar uma atitude hoje.

Acidentes no meio do percurso

Teorias de planejamento afirmam que em qualquer tipo de plano existem fatores críticos que, se tratados adequadamente, conduzirão ao sucesso. No caso do planejamento financeiro familiar, isso quer dizer que, se fatores críticos como rentabilidade dos investimentos, risco assumido e disciplina na gestão de recursos e nas aplicações forem levados a sério, haverá grandes chances de o plano ser bem-sucedido.

Digo grandes chances e não certeza, porque nunca estaremos livres de acidentes. Existem aspectos alheios a nosso controle e à vontade cujos efeitos podem ser minimizados, mas muitas vezes são inevitáveis. Vejam alguns exemplos:

- Se vocês tiverem convênios, poderão prevenir ou adiar problemas de saúde, mas jamais estarão imunes a doenças graves ou acidentes.
- Se investirem em segurança, poderão diminuir a probabilidade de sofrer roubos e assaltos, mas nunca estarão completamente imunes às ações dos amigos do alheio.
- Se investirem na educação dos filhos, aumentarão a probabilidade de que eles tenham um futuro próspero, mas isso dependerá em grande parte dos sonhos e da visão de mundo deles próprios. Ninguém jamais poderá lhes garantir isso.

- Ainda que vocês tenham um fundo de reserva para a troca do automóvel, talvez o carro atual tenha um sério problema mecânico e seja preciso gastar mais do que existe no fundo de reserva para consertá-lo.
- Por melhor que seja sua casa, todos estão sujeitos a desastres naturais e existe a possibilidade de um dia vocês perderem parte do patrimônio que têm.
- A História mostra que o Brasil é um país de elevado nível de risco, já que as regras do jogo mudam ao longo do tempo, geralmente para prejudicar a maioria. Esse problema tende a diminuir com a melhora da educação da população, mas algumas variáveis de seu plano sofrerão mudanças ao longo da vida.

Entendam que vivemos em um ambiente de risco. Isso não é totalmente ruim, pois onde há risco há maiores oportunidades de ganho. Se o risco no Brasil não fosse elevado, os bancos e o governo não teriam de pagar juros tão altos para atrair investidores e convencê-los a aplicar seu dinheiro. Hoje vocês só investem porque os juros oferecidos pelas alternativas de investimento são suficientemente atrativos, situação muito melhor do que deixar o dinheiro em casa, debaixo do colchão.

Mas, como estamos sujeitos a riscos, talvez chegue o momento em que, em razão de um acidente ou imprevisto grave, vocês precisem usar grande parte de suas reservas. Se tivessem feito seguro contra a perda sofrida, talvez a ocorrência não fosse tão dramática. Mas, se contratarmos seguros contra todos os riscos, não sobrará dinheiro para comer. Somos obrigados a selecionar os riscos, e nada impede que tenhamos uma perda não assegurada. Nesse caso vocês verão o grande sonho ir por água abaixo. Esse será o momento de manter a cabeça fria. Saber perder é respirar fundo, assimilar todas as lições que se pode tirar do momento negativo e aprumar-se em direção aos sonhos. Mesmo que pareçam impossíveis, sigam na direção deles, façam o que estiver a seu alcance.

Prefiro não associar o sucesso de um plano à sorte nem a forças de outra dimensão. Mas, se vocês desejarem com afinco atingir um objetivo e se esforçarem para isso, todas as forças do universo estarão convergindo na promoção de seu êxito. Quando tinha meu casamento como objetivo, trabalhei com tanto afinco e vontade que o reconhecimento de meu esforço me trouxe várias novas oportunidades. O cantor britânico Eric Clapton canalizou toda a dor e sofrimento pela morte de seu filho na composição de uma canção em homenagem a ele, "Tears in Heaven" (Lágrimas no céu), que se transformou num dos maiores sucessos de sua carreira. Herbert Vianna contrariou todas as probabilidades ao ressurgir de um coma e voltar a tocar como antes nos Paralamas do Sucesso.

Nunca acreditei em perdas irreparáveis; enxergar esse caminho só depende de vocês. Uma derrota começa quando se acredita nela.

"Dizem que sou um cara de sorte... Só sei que, quanto mais me esforço, mais sorte tenho!" (Jack Niklaus)

Ganhem e doem

Paguem-se primeiro, lembrem-se de uma das duas lições fundamentais. Conheço pessoas que não poupam porque acreditam que a doação aos necessitados é mais importante. Creiam: doar não é o mais importante, apesar de essencial para as pessoas de bom coração. Admiro muito todos aqueles que dividem seu sucesso financeiro com os necessitados, mas discordo profundamente dos que dividem todo o resultado de seu sucesso. Se, ao doar, vocês não se permitirem sobras de recursos para investir em seu futuro, estarão prejudicando esse futuro e também o daqueles que precisam de sua ajuda.

Ganhem e doem: mas planejem-se para poder fazer isso sempre. Necessitados e associações beneficentes precisam de pessoas que doam. Mas, se a doação for maior do que seu patrimônio comporta, vocês não enriquecerão e não conseguirão doar no futuro. Vocês contribuirão muito mais com a sociedade se respeitarem seus limites hoje e, à medida que enriquecerem, passarem a doar quantias maiores. Sugiro até que essas doações sejam um percentual da renda de seus investimentos, e não do salário. Nos Estados Unidos, a grande maioria das doações a instituições humanitárias vem de famílias financeiramente independentes. E os valores por família chegam aos milhões de dólares.

Doação não consiste somente em dinheiro. Se o dinheiro não sobra, doem tempo. Há muito trabalho voluntário a fazer pelos necessitados de nosso país. Será que uma contribuição de R$ 20,00 para pagar parte dos medicamentos de um velhinho interno em um asilo vale mais do que duas horas do sábado de um voluntário destinadas a conversar com ele?

O mesmo serve para contribuições voluntárias a associações e igrejas. Se o objetivo for contribuir, vocês serão responsáveis pela criação de condições para contribuir cada vez mais. Cada religião tem seu credo e sua forma divina de recompensar as contribuições voluntárias. Mas, se a atual maneira de fazer isso inviabilizar as contribuições futuras, vocês irão contra seus objetivos pessoais e de fé. Se sua crença determina o pagamento do dízimo,[29] vocês devem assumir pelo menos o mesmo compromisso consigo mesmos. Se é possível viver com 90% dos ganhos, vocês têm de encontrar meios de viver com 80%. Caso contrário, amanhã não haverá percentual nenhum para contribuir com a igreja.

Sua riqueza é maior do que vocês imaginam

Pessoas que vocês nem conhecem ganham muito com sua riqueza. Além do bem-estar que a riqueza proporciona à família – como

---
[29] Dez por cento de toda a renda.

exemplo para os mais novos, como um lar que oferece conforto nas reuniões familiares, como um lastro de garantia quando alguém precisa, como a viabilização de celebrações familiares –, vocês também trazem bem-estar a seus vizinhos.

A maior capacidade de consumir produtos e serviços de seu bairro leva riqueza às famílias próximas. A capacidade de cuidar melhor de seu bem-estar ajuda a preservar empregos. Seu interesse em compartilhar com amigos oportunidades de investimento e conhecimento financeiro cria cadeias de prosperidade, que normalmente dão em retorno novas fontes de informação. Informações sobre riqueza devem ser compartilhadas. Se vocês agora sabem como enriquecer, tragam as pessoas queridas para esse objetivo comum. Se alguém lhes pedir dinheiro emprestado, proponham-se discutir as reais fontes do problema em vez de simplesmente ajudar com dinheiro. Isso não tem preço.

Seu enriquecimento é uma forma de contribuir não somente com aqueles que os rodeiam, mas com a sociedade em geral. A razão de grande parte dos problemas brasileiros é a incapacidade de o povo poupar. Os juros são elevados porque o dinheiro para emprestar é escasso. Se as pessoas levassem mais dinheiro aos bancos, estariam ao mesmo tempo fazendo mais riqueza – com os juros – e forçando essas instituições a reduzir os juros. Se menos gente precisar de dinheiro emprestado, os bancos começarão a "liquidar" dinheiro oferecendo-o a juros menores.

Talvez vocês perguntem: "Mas os bancos não perderão dinheiro ao manter os juros das aplicações e reduzir os juros dos empréstimos?" Não, isso jamais vai acontecer. Os bancos, como núcleo do capitalismo através de sua função de intermediação financeira, deverão ganhar dinheiro sempre. Com maior número de poupanças, haverá pressão sobre os juros da economia no sentido de reduzi-los. Em futuro distante, quando a população brasileira receber educação adequada (inclusive financeira), os spreads bancários serão mantidos e as aplicações financeiras também pagarão menos juros.

"Assim, em uma economia mais rica, não teremos mais os juros elevados que garantirão nosso enriquecimento?" Sim, teremos. Apenas não serão mais juros de renda fixa ou títulos do governo. Com juros mais baixos e riqueza mais abundante, as empresas terão melhores condições de captar dinheiro para crescer. A economia evoluirá de forma mais consistente, haverá mais riqueza em circulação e o mercado terá comportamento mais previsível. Com isso, o risco diminuirá e o mercado de ações terá comportamento mais coerente, tornando-se interessante a todo tipo de investidor. É exatamente isso que acontece nas economias desenvolvidas.

Utopia? Não, é uma questão de planejamento. Trata-se de algo que poderá ocorrer daqui a algumas décadas desde que o horizonte de realização de obras sociais de nossos governos cresça além dos atuais quatro ou oito anos.

Um futuro melhor depende de vocês mesmos, e de mais ninguém.

Sejam felizes!

Guia para casais que estão se preparando para o casamento

Para esta edição comemorativa dos 10 anos do lançamento do livro *Casais inteligentes enriquecem juntos*, preparei um passo a passo das reflexões e ações que devem ser feitas para que uma das maiores realizações da vida de vocês – a vida a dois – se inicie da melhor maneira possível, com a concretização de sonhos e a eliminação de muitos problemas comuns a essa fase. Os depoimentos que recebo pelo meu site e pelas redes sociais mostram que a maior parte do público leitor deste livro é de noivos e recém-casados, por isso o motivo de meu presente. É hora de pôr as ideias em prática!

Primeiros passos

Vocês decidiram que estão preparados para casar. E agora? Como fica a questão do dinheiro? A primeira coisa a fazer é conversar sobre a transição da vida independente para a vida a dois.

Até agora, contas eram separadas, provavelmente a divisão de gastos era vista como sacrifício para um, generosidade ou gentileza para outro. Desse momento em diante, acaba a fase de experiências e começa a etapa de decisões tomadas a dois.

Na ponta do lápis. Caso ainda não tenham orçamentos individuais, comecem a elaborar um orçamento unificado de ambos. Se cada um já tiver o seu, é hora de uni-los. O objetivo é visualizar claramente de onde vem cada recurso e para onde vai o dinheiro, sem esquecer de levar em conta compromissos já assumidos pelos dois, como a poupança para um curso ou para outro gasto particular. A partir de agora, ambos irão se unir para conquistar objetivos individuais e de casal. O orçamento deve ser organizado da seguinte maneira:

	Jan	Fev	Mar	Abr	...
RECEITAS DELA					
(-) DESPESAS DELA					
= **SOBRAS DELA (1)**					
RECEITAS DELE					
(-) DESPESAS DELE					
= **SOBRAS DELE (2)**					
SOBRAS TOTAIS (1)+(2)					
(-) POUPANÇA OBJETIVOS DELA					
(-) POUPANÇA OBJETIVOS DELE					
(-) POUPANÇA CASAMENTO					

Conta conjunta. Caso ainda não tenham aberto uma conta conjunta, é hora de fazê-lo. Nessa fase de transição, os recursos para o casamento saem das contas individuais e devem ser depositados em uma conta de titularidade dos dois. O objetivo é facilitar os pagamentos ou assinaturas de cheques quando as decisões se tornarem mais urgentes.

Transparência. Coloquem no papel ou numa planilha tudo o que fizerem, e compartilhem essa informação um com o outro. Não é por desconfiança, mas por segurança. A partir do momento em que começam a ter dinheiro numa conta conjunta sem o respaldo de um contrato de casamento que diga o que é de quem, é importante que cada um saiba de cada centavo que acrescentou ao montante. O argumento é simples: o que acontecerá se uma fatalidade com um de vocês ou com ambos obrigar terceiros a decidirem o que fazer com o dinheiro?

Valorizem os relacionamentos bancários. Evitem pagar tarifas por abrir mais uma conta no banco. Se sua conta já oferece privilégios como a isenção de tarifas, solicite ao banco uma conta-corrente com as mesmas vantagens. Se nenhum dos dois tem qualquer tipo de privilégio e só não pagam tarifas porque utilizam conta-salário, abram uma conta de poupança (sem custos) ou uma conta digital (pela internet, também sem custos).

Comecem a conversar sobre o regime de casamento. Essa conversa costuma ser desconfortável, pois envolve a separação entre o que cada um conquistou sozinho e o que passarão a ter juntos, além de tocar em aspectos familiares – geralmente, a família mais rica questionará se o outro não está casando por interesse. Havendo dúvida ou possibilidade de conflito, optem pelo regime de comunhão parcial de bens. Se possuem grandes patrimônios ou empresas familiares, consultem um advogado para negociar um regime de separação total de bens. Essa escolha pode ser alterada no futuro. Mas jamais deixem para decidir esse assunto em cima da hora, diante da pergunta do juiz de paz.

Eliminem dívidas antes de avançar nos planos. Levar dívidas para uma vida a dois significa dividir problemas, não realizações. Essa não é a melhor maneira de começar uma história do tipo "felizes para sempre". Mesmo que namorem há muito tempo, que surja a oportunidade de uma viagem, que tenham o desejo de engravidar ou que exista uma química perfeita que gere forte confiança mútua, não assumam a responsabilidade do casamento antes de liquidar dívidas e de limpar o nome dos cadastros de inadimplentes. É melhor vender carro e bens e se casar tendo um estilo de vida mais simples do que contaminar a relação com erros do passado.

Conversem sobre o que será realmente importante na celebração para cada um de vocês. Proponham-se a fazer, individualmente, uma lista do que cada um deseja ter na celebração de casamento, sem pensar ainda nos custos das escolhas. Vestido? Jantar completo? Música ao vivo?

Noite romântica? Lua de mel dos sonhos? Deixem a criatividade e a inspiração fluírem. Não façam isso juntos, permitam-se escolhas livres de qualquer pressão. Quando os dois estiverem com a lista pronta, sentem-se para conversar sobre a celebração e fazer um balanço de seus anseios. Provavelmente nem tudo será viável, mas, com esse procedimento, ambos saberão mais sobre as prioridades e sentimentos do outro.

Discutam sobre o que será realmente importante na rotina diária de cada um. Funciona como a lista de desejos para a celebração. Façam, individualmente, uma lista dos gastos que cada um considera fundamental para sua rotina após o casamento. Nessa fase do exercício, também não é preciso pensar nos custos das escolhas. É como se fosse uma lista inspiradora, do estilo de vida que esperam conquistar. Com ambas as listas prontas, conversem sobre prioridades e tentem conciliar as listas.

Negócios a dois, somente com contrato. Já vi muitos casamentos começarem a partir da inspiração de iniciar um negócio a dois, assim como também já vi muitos sócios se casarem. Mas poucas situações são tão ameaçadoras à saúde de uma relação quanto a confusão de negócios com sentimentos. Não pretendo desestimular atitudes empreendedoras, mas alertar para a extrema importância de estabelecer regras de negócios sempre por escrito, preferencialmente documentadas em contratos. Isso vale não só para um casal, mas também para familiares e amigos.

O que deve ser priorizado

A partir das listas inspiradoras que recomendei fazer anteriormente, o casal deve relacionar os itens que pretende contratar para sua celebração, cuidando para que essa lista seja elaborada por ordem de prioridade. Partindo das duas listas individuais, comecem colocando no topo da relação os itens considerados mais importantes para cada um. Qual item vem primeiro? Dos primeiros colocados de cada um, comecem pelo que custa menos, e depois sigam alternando. Por exemplo, se os itens prioritários na lista dela são o vestido, o aluguel de determinada igreja e a música ao vivo, e na lista dele são a música ao vivo, a noite de núpcias e a lua de mel, devem ser colocados como prioridade, na lista do casal, o item mais barato entre o vestido e a música ao vivo. Depois, a primeira escolha do outro, seguido pela segunda escolha de quem abriu a lista.

Esse processo torna as decisões mais democráticas sem deixar de lado as prioridades individuais. Os valores são importantes, pois, somados, ajudam a quantificar o total a gastar e mantêm o casal com os pés no chão quanto aos objetivos a alcançar.

Uma vez listados objetivos e valores, o próximo passo é começar a riscar da lista os itens já conquistados, na ordem de prioridade, à medida que os valores necessários vão sendo acumulados na poupança. Nessa etapa da organização, eu costumo chamar essa lista de "plano de motivação", pois cada novo item conquistado nos enche de alegria, inspiração e motivação para aumentarmos nosso esforço em busca dos itens restantes.

Exemplo de Plano de Motivação:

			Saldo aplicado na data de hoje		4.920,00
Objetivo a alcançar	Prioridade	Data pagto.	Preço total	Valor total acumulado	Objetivo alcançado?
Aluguel da igreja	1	15/mai	1.000,00	1.000,00	Sim
Passagens lua de mel	2	20/set	1.500,00	2.500,00	Sim
Hotel lua de mel	3	01/set	600,00	3.100,00	Sim
Vestido de noiva	4	10/out	1.000,00	4.100,00	Sim
Músicos igreja	5	15/jun	800,00	4.900,00	Sim
Decoração da igreja	6	15/jun	1.000,00	5.900,00	Não
Verba para a lua de mel	7	10/nov	800,00	6.700,00	Não
Convites	8	20/jun	500,00	7.200,00	Não
Coquetel	9	01/nov	1.000,00	8.200,00	Não
Traje do noivo	10	01/nov	800,00	9.000,00	Não
Móveis da cozinha	11	15/set	15.000,00	24.000,00	Não
Cama de casal	12	15/out	1.200,00	25.200,00	Não
...	...	...	...	...	...

O tamanho da celebração

Obviamente, seus sonhos são maiores do que seu bolso. Se vocês estão mesmo inspirados para o casamento, muitas coisas que gostariam de ter na celebração, na nova moradia ou na lua de mel não caberão no orçamento.

Por esse motivo, precisarão cultivar, nos meses que antecedem à celebração e também ao longo de toda a vida, atitudes que ajudarão a preservar mais recursos em seu bolso e, com isso, facilitarão a conquista de mais objetivos. São elas:

Organizem-se. Pesquisem bastante antes de tomar a iniciativa de negociar um preço. Consultem sites e revistas especializados, contatem amigos e conhecidos para pedir referências de preços e serviços, guardem folhetos e prospectos em um fichário organizado por item de consumo e façam listas de diferentes preços e condições de pagamentos praticados pelos vários fornecedores consultados. Em qualquer mercado, vendedores exploram mais os consumidores que se mostram mal-informados.

Negociem. Não caiam no argumento de que "é só uma vez na vida". Evitem assinar contratos na primeira visita e consultem pelo menos três fornecedores diferentes para cada serviço que desejam contratar. Evitem restringir suas consultas apenas a fornecedores recomendados por uma única feira ou igreja. E jamais digam o saldo que possuem para determinada negociação.

Comprem em atacado. Se possível, verifiquem se há outros casais celebrando no mesmo dia que vocês na mesma igreja ou no mesmo salão de festas. Quanto mais pessoas se unirem para negociar uma única contratação de músicos, decoração e bufê, maiores as chances de desconto. Isso também vale para viagens de lua de mel e compra de decoração da moradia.

Usem a criatividade. Praticamente tudo o que se pode comprar com dinheiro pode também ser conquistado com um pouco de criatividade. Um bufê caro pode ser substituído por um jantar feito por familiares ou por amigos. Um vestido caro pode ser substituído por outro de segunda mão reformado. A limusine pode ser substituída pelo carro do padrinho rico. A lua de mel pode ser paga com milhas ou presenteada por aquele tio que é sócio de um clube de férias. Quanto mais vocês se apegarem aos preços das coisas, mais seu casamento parecerá inviável. Quanto mais se apegarem a modismos, mais pagarão o preço extra da moda. Por outro lado, quanto mais pesquisarem e se organizarem, mais soluções alternativas encontrarão para algo que parece economicamente inviável. Dediquem mais tempo a suas pesquisas, para que possam gastar menos. De todos os casamentos que fui, os de que mais gostei não foram aqueles que tinham brindes e docinhos da moda, ou a banda do momento. Os mais marcantes foram os que tiveram algo único e bastante particular da história dos noivos, como a massa preparada pela avó, a música composta pelo noivo ou a celebração no local onde o casal se conheceu quando criança. Quando algo parecer impossível para a celebração de vocês, deixem de pensar em "quanto" e pensem em "como".

Contas que devem ser feitas

Para casais que ainda não vivem juntos e que estão festejando sua união pela primeira vez, geralmente a celebração e a decoração da moradia costumam ser o mais complexo e caro projeto da vida até então. Por isso, é natural que sintam ansiedade, muitas dúvidas e certa dificuldade na organização desse projeto.

Para diminuir essa sensação, leia estas orientações até o fim, faça anotações ao longo da leitura e sempre que surgirem novas reflexões. Faça também uma releitura do livro e deste guia. Não digo isso para valorizar meu trabalho, nessa fase de agenda tão escassa em suas vidas. O motivo da recomendação é que muitas das informações que surgem ao longo desse texto são novidade para vocês, e algumas delas acabam se perdendo enquanto o cérebro "digere" outras novidades. Pode acreditar: na releitura haverá tanto ou até mais aprendizado do que na primeira leitura.

É provável também que muitas das contas por mim sugeridas sejam novidade para o casal. Por isso, evitem confiar apenas em seus cálculos mentais. Coloquem tudo no papel ou na planilha, peçam ajuda a quem já fez isso antes e utilizem a Simulação de Poupança que ofereço no link Simuladores do site www.maisdinheiro.com.br.

À medida que forem reservando recursos para os gastos que virão pela frente, não deixem de tomar os seguintes cuidados:

Invistam. Jamais deixem dinheiro parado na conta. Com os saldos crescendo para arcar com as grandes despesas dessa mudança de fase na vida, passa a ser um grande desperdício não aplicar os recursos, mesmo que por poucos dias. Lá na frente, mesmo os rendimentos mínimos permitirão custear algum detalhe a mais na celebração ou na moradia. Essa recomendação vale mesmo que a conta-salário de vocês só remunere pelo rendimento da caderneta de poupança os recursos que ficarem parados por mais de um mês. Se, por exemplo, vocês aplicarem recursos por cinco dias, no momento do resgate serão sacados da poupança recursos mais antigos, e não aquilo que foi aplicado dias antes. Caso tenham uma conta-corrente com serviço de investimentos, os fundos de renda fixa pós-fixados são outra opção para quem for aplicar e sacar recursos picados ao longo do tempo.

Paguem o mais tarde que puderem. Em geral, prestadores de serviço solicitam o pagamento de uma entrada e permitem que o restante seja pago da maneira que os noivos preferirem, desde que o compromisso seja quitado até alguns dias antes do casamento. Isso é ótimo! Esqueçam a ideia de dividir em parcelas iguais para "facilitar o pagamento". Se é possível deixar o dinheiro aplicado até o último momento, ofereçam sempre o mínimo necessário de entrada e deixem para pagar o restante o mais tarde possível, para que os recursos rendam alguns trocados a mais. Obviamente, essa recomendação só vale se vocês conseguirem de fato aplicar os recursos e se não houver correção da inflação em cima do valor a pagar.

Sacrifícios valem a pena. Lembrem-se do que foi dito ao longo do livro. Sacrifícios podem ser feitos sim, desde que por um prazo estipulado e com data certa para alcançar uma grande conquista. Vale a pena pular uma refeição, trabalhar mais horas do que o normal, deixar de presentear ou de se cuidar? Sim, desde que vocês saibam o que vão colher com isso e, principalmente, que assumam o compromisso de retomar o equilíbrio logo após a conquista. Aliás, uma boa dica de presente durante os meses que antecedem a celebração é garantir aquele item que deixou a pessoa amada frustrada quando foi descartado do Plano de Motivação.

E o sonho da casa própria?

Adaptado de artigo publicado originalmente na revista Época, *em 1º de maio de 2014.*

A obsessão pela casa própria, principalmente à época do casamento, deixa evidente a falta de educação financeira dos brasileiros. Quem diz isso não sou eu, e sim os números. Não é preciso fazer muitas contas. Coloque-se no lugar do proprietário de imóvel. Raramente os rendimentos do aluguel superam 0,5% ao mês. Na dura realidade de juros elevados, qualquer um que compra um imóvel pode também investir seu patrimônio na renda fixa, com ganhos superiores a 0,7% mensais. Se não é bom negócio para locadores, por que deixaria de ser para inquilinos?

Mas há quem insista na compra. O caminho para sair do aluguel, para a maioria das pessoas (que não possuem reservas suficientes para adquirir um consórcio contemplável), é por meio do financiamento. Na prática, financiar é tomar dinheiro emprestado e pagar um aluguel por ele. Pouca gente percebe o mau negócio que faz ao deixar de alugar por 0,5% ou 0,6% ao mês e passar a alugar dinheiro do banco ou da construtora por algo entre 0,8% e 1% ao mês. Aqui, alugar dinheiro é mais caro que alugar imóvel. É insensatez, mas é fato.

Há contra-argumentos que tentam derrubar essa reflexão. Um deles é que aluguel de imóvel é pela vida toda, enquanto o "aluguel de dinheiro" – ou financiamento – é por apenas alguns anos. Façamos novas contas. Um imóvel de R$ 500 mil pode ser alugado por R$ 2,5 mil mensais. Um financiamento desse mesmo imóvel exigiria pelo menos uma entrada de R$ 150 mil, e o restante seria parcelado em, digamos, 20 anos com prestações de cerca de R$ 3.550,00 mensais. Considerei juros de 0,9% ao mês.

Os R$ 1.050,00 mensais da diferença, se bem investidos por 20 anos, podem resultar em R$ 300 mil. Somados aos R$ 150 mil da entrada e aos rendimentos que esse valor também geraria em 20 anos, dá um total de cerca de R$ 670 mil. Considerei rendimentos de 0,3% ao mês acima da inflação, para chegar a resultados em valores de hoje.

Você não conseguirá comprar, daqui a 20 anos, o mesmo imóvel que hoje vale R$ 500 mil apenas corrigindo sua poupança pela inflação. Porém estará mais flexível para morar onde quiser, em imóveis adequados a seu momento de vida e de carreira, sem abrir mão da oportunidade de poupar e sem engessar demais seu orçamento. Provavelmente, com isso, terá mais chance de crescimento na carreira e na renda, e por conseguinte na poupança e na capacidade de comprar um imóvel melhor no futuro. Você se sentirá menos pressionado, por ter um orçamento flexível, que pode ser mudado se a renda cair. Podemos desistir de um imóvel alugado, mas é mau negócio desistir de um financiamento.

A reflexão se inverte quando as prestações do imóvel ficam inferiores à mensalidade do aluguel. Isso ocorre com os imóveis mais baratos, que têm subsídio do governo. Se não for seu caso, pense bem antes de apertar seu orçamento. Quanto mais altos os juros, maior a vantagem da combinação de aluguel com poupança.

O momento certo de adquirir seu imóvel próprio é quando tiver uma ótima reserva financeira, uma boa renda (algo mais difícil de conseguir se engessar demais suas escolhas no início da carreira) e a consciência de que não quer mais mudanças significativas na vida e na carreira. Não tenham pressa. Vocês irão perceber quando esse momento chegar.

Recomendações úteis

Simplificar é sinônimo de criatividade. Se casar é prioridade, troquem jantar fora por experiências gastronômicas em casa (convidem amigos para trazer os ingredientes). Troquem o cinema pelo pacote DVD+sofá+edredom, a balada pelo namoro, o presente de dia dos namorados por um dia a dois planejando a nova vida... Também acho interessante vender o carro e andar de bicicleta ou ônibus, hábito que pode perfeitamente ser mantido após o casamento, ao menos nos primeiros meses.

Ter noção da mudança. O que *não* deve ser feito é tentar preservar o estilo de vida atual enquanto se constrói uma nova vida. Ambos perderão qualidade.

O casal une tudo, mas as famílias dividem. Quando as famílias se propõem a contribuir para a celebração, a conversa deve começar na possibilidade de divisão meio a meio dessa ajuda. Se uma das famílias se oferecer para ajudar mais porque a condição financeira é melhor, o casal deve entender isso como um presente e não como uma obrigação de compensação no futuro.

Fujam dos empréstimos. O casamento é planejável, e o ideal é que seja planejado para caber no bolso. Preservar a linha de crédito para empréstimos será importante para mobiliar a casa, corrigir erros de percurso na administração do novo lar (sim, eles vão acontecer) ou, melhor ainda, para fazer um curso ou montar um negócio que leve o casal a ganhar mais. Prefiro realizar grandes sacrifícios de consumo antes do casamento, ou então usar a cabeça e simplificar o orçamento da festa. Não será nada bom pagar durante vários meses uma celebração que já passou. Serão vários motivos para se arrependerem de um dos momentos mais mágicos da vida. Porém, se já estiver pago, pouco importa se exageraram. A noite de núpcias será para selar a primeira de muitas grandes experiências a dois.

Conversem, conversem, conversem. O casal ouve demais as sugestões de quem está fora do relacionamento, o que é prudente, mas esquece de dar ouvidos um ao outro. Conversar sobre dinheiro é o mesmo que falar sobre sonhos, ambições, desejos e também sobre os obstáculos para alcançá-los. A preocupação da maioria dos casais restringe-se a conseguir pagar contas, não em fazer sacrifícios para alcançar mais sonhos.

Do que NÃO se deve abrir mão. O casal não deve abrir mão daquilo que realmente simboliza o rito de passagem para o casamento, e que não terá o mesmo valor se feito em outro momento. Por exemplo:

1. A festa. Façam, mesmo que seja simples.
2. As fotos. Caprichem nos álbuns e paguem um pouco a mais em fotos extras. É um dos momentos mais importantes da vida do casal, e um ótimo motivo para se divertir dos exageros dos convidados, daqui a alguns anos.
3. Alianças, mesmo que não sejam das mais caras.
4. Dia da noiva, e se possível algum cuidado com o noivo, como pedicuro e cabelos. Aliviam a típica tensão desse dia.

5. Noite de núpcias. Caro noivo, não vacile: esse será o auge da festa para sua parceira.
6. Lua de mel. Não precisa ser em algum lugar longe, mas que seja romântica e tranquila, para o casal se curtir.
7. Flores. Na igreja, na festa, na noite de núpcias, na viagem, ao voltar para casa. Ajudam a reforçar o clima de sonho.
8. Presentes. Há quem não goste de sugerir listas de casamento junto com os convites, mas combinem com os padrinhos aquilo de que mais precisam, mesmo que alguns tenham que fazer vaquinha. Não haverá outro momento na vida em que os amigos e familiares estejam tão dispostos a dividir a conta.
9. Diferenciais. Em todas as reservas que forem feitas para a lua de mel, informem que é para um casal em lua de mel. Hotéis, restaurantes e receptivos costumam oferecer cortesias, mesmo que sejam apenas flores ou um prato de frutas.
10. Óleo de massagem. Curtam esse momento.

Namoro para a vida toda

Recomendo uma atenção especial a um dos itens que destaquei no início deste guia, na seção Primeiros Passos. *Discutam sobre o que será realmente importante na rotina diária de cada um de vocês!* Ou seja, antes mesmo da celebração do casamento, conversem, ensaiem, repensem como será a rotina de casados, inclusive os gastos relacionados à rotina.

Essa reflexão é importante, pois a experiência de preparar a celebração do casamento é intensa e consome bastante o casal, a ponto de moldar transformações na rotina que podem ser definitivas.

Por exemplo, tratei aqui de sacrifícios que podem e devem ser feitos. Vocês perceberão que a atitude aparentemente insana de trabalhar mais do que o usual para conquistar horas extras e bônus pode ser algo bastante recompensador ao alcançar objetivos. Mas esse sentimento também pode trazer uma perigosa motivação, que não nos deixa perceber o risco que corremos de perder a saúde e os amigos ao trabalhar demais. Talvez nem sequer nos demos conta de que deixamos de valorizar o outro quando abandonamos o hábito de presenteá-lo ou mesmo de nos cuidar. A motivação da conquista financeira ou de sonhos pode anular a motivação que antes tínhamos na conquista da pessoa amada ou na curtição dos amigos.

Não deixem isso acontecer. Policiem-se. Repito: sacrifícios valem a pena, desde que por prazo definido e com um objetivo bastante claro a ser alcançado. O planejamento da rotina diária após o casamento pode até sofrer ajustes com o tempo, mas serve para nos lembrar do real motivo do enlace.

Nós não nos casamos porque é importante ou porque é um caminho necessário à sobrevivência. Casamento é algo opcional. Na verdade, a vontade de casar nasce quando, no namoro, os momentos a dois vão se tornando tão importantes para o bem-estar do casal a ponto de desejarem "estar juntos" para sempre.

Esse "estar juntos" tem a ver com gastos típicos do namoro que muitos casais abandonam após o casamento. Com vocês, será diferente. Cuidem-se da mesma forma que se cuidaram antes do casamento. Sair, presentear, cuidar-se, vestir-se bem e consumir coisas que fazem cada um mais feliz é mais importante do que vinte metros quadrados a mais no apartamento. Continuem saindo para jantar, para dançar, para conhecer lugares ou eventos que são importantes para vocês. Continuem se cuidando, um ao outro e um para o outro. Continuem investindo em jogos de sedução, romantismo e simbolismos. Tudo isso fortalece a relação e ajuda a fazer com que ela se torne eterna.

Organizem-se para gastar com isso, mesmo que atrasem planos de uma moradia maior ou mesmo que a celebração seja mais simbólica e menos suntuosa do que planejaram. "É uma vez só na vida", mas não pode atrapalhar a vida que vocês querem viver. A vida a dois começa na celebração, mas o namoro nunca precisa acabar.

Onde aprender mais

Conheça meus outros livros e acesse ferramentas, dicas, vídeos e artigos no site www.maisdinheiro.com.br
   Curta no Facebook: Gustavo Cerbasi Oficial
   Siga no Twitter: @gcerbasi

CONHEÇA OS LIVROS DE GUSTAVO CERBASI

Mais tempo, mais dinheiro

Casais inteligentes enriquecem juntos

Adeus, aposentadoria

Pais inteligentes enriquecem seus filhos

Dinheiro: Os segredos de quem tem

Como organizar sua vida financeira

Investimentos inteligentes

Empreendedores inteligentes enriquecem mais

Os segredos dos casais inteligentes

A riqueza da vida simples

Dez bons conselhos de meu pai

Cartas a um jovem investidor

Para saber mais sobre os títulos e autores da Editora Sextante,
visite o nosso site e siga as nossas redes sociais.
Além de informações sobre os próximos lançamentos,
você terá acesso a conteúdos exclusivos
e poderá participar de promoções e sorteios.

sextante.com.br